Para

com votos de paz.

/ /

Divaldo Franco
pelo Espírito
Joanna de Ângelis

Lições para a felicidade

Salvador
5. ed. – 2019

5. ed. (2ª reimpressão) – 2019
1.000 exemplares – (milheiros: 39.000)

Revisão: Luciano de Castilho Urpia
Lívia Maria Costa Sousa
Editoração eletrônica: Lívia Maria Costa Sousa
Capa: Cláudio Urpia
Coordenação editorial: Lívia Maria Costa Sousa
Produção gráfica:
LIVRARIA ESPÍRITA ALVORADA EDITORA
Telefone: (71) 3409-8312/13 – Salvador, BA
Homepage: <www.mansaodocaminho.com.br>
E-mail: <leal@mansaodocaminho.com.br>

Dados Internacionais de Catalogação na Publicação (CIP)
(Catalogação na fonte)
Biblioteca Joanna de Ângelis

FRANCO, Divaldo Pereira.
F825 *Lições para a felicidade*. 5. ed. / Pelo Espírito Joanna de Ângelis [psicografado por] Divaldo Pereira Franco.
Salvador: LEAL, 2019.
192 p.
ISBN: 978-85-8266-122-2
1. Espiritismo 2. Felicidade 3. Reflexões morais
I. Franco, Divaldo. II. Título.
CDD: 133.93

Impresso no Brasil
Presita en Brazilo

SUMÁRIO

Lições para a felicidade 7

1 Mundos habitados 11

2 Instinto e inteligência 17

3 Aspirações máximas 23

4 Progresso pela reencarnação 29

5 Perturbação espiritual 35

6 Confia sempre em Deus 41

7 Processo de evolução 45

8 Batalha encarniçada 51

9 Com seriedade 57

10 Socorro adequado 61

11 Nunca a sós 65

12 Acasos felizes 71

13 Pressentimento 75

14 Bênçãos e maldições 81

15 Natal de amor 87

16 Exemplo único 93

17 Ação do bem 99

18 Importância da educação 105

19 Violência e paz 111

20 Silêncio interior 115

21 Desajustes na família 119

22 Justiça e humanitarismo 125

23 Sempre compaixão 131

24 Sórdidos porões 135

25 Virtudes 141

26 Paixão e amor 145

27 Vícios e paixões 151

28 Desafios da luta 157

29 Autoconscientização 163

30 Amor e saúde 169

31 Perdãoterapia 173

32 Os sofrimentos 177

33 Presença da morte 183

34 Indulgência 187

Lições para a felicidade

Considerando alguns efeitos perturbadores ocasionados pela moderna globalização, tais como: o excesso de informações repentinas que não podem ser assimiladas pela razão nem pela emoção, a violência e a crueldade que esfacelam os sentimentos humanos, a ansiedade que atinge níveis insuportáveis, o medo aterrador, a síndrome do pânico, a miséria socioeconômica em incontáveis lares, as enfermidades cardiovasculares, não se excluindo aqueloutras que decorrem de fatores endógenos e de contaminação, verificamos que o progresso intelectual e tecnológico não resolveu as necessidades internas essenciais do ser humano.

Projetado na direção das galáxias, ele não conseguiu sair das charnecas morais onde se detém inquieto, contemplando as estrelas e, sofrido, arrastando-se pelo alagadiço das paixões primevas.

O excesso de notícias rápidas, mais detalhadas quando de referência ao crime e à hediondez, produz desgaste emocional, quase sempre desequilibrando o indivíduo, que se torna indiferente ante o que sucede no mundo ou se equipa de violência para defender-se, sem a necessária sabedoria para administrar-lhe o conteúdo, a fim de ficar em paz.

A predominância da sordidez de caráter em alguns segmentos humanos e sociais, vem respondendo pelos transtornos de comportamento de não pequena quota de pessoas sofredoras.

O contínuo combate contra os valores éticos e morais, dando-se primazia ao vulgar, ao chulo, ao perverso e primitivo, com a constante exibição do sexo em desalinho, da exaltação das drogas, da musculação física e da esbelteza exagerada, aturde, gerando inquietações profundas e distonias prejudiciais.

Concomitantemente, o bruxuleio da fé em milhões de existências que se libertaram dos conceitos ortodoxos das religiões majoritárias, ou buscam a confiança em Deus, fanaticamente, por meio de ardis comportamentais para resolverem os seus problemas existenciais e conseguirem destaque na sociedade, transforma-se em fatores de perturbação e agressividade, ao invés de segurança e de consolação.

A fé verdadeira, quando apoiada na razão e direcionada para os nobres objetivos da vida, constitui-se porto de repouso e nau que ajuda a singrar os pélagos vorazes dos tumultuados oceanos do processo evolutivo.

É natural que as antigas colocações religiosas, estribadas na fé cega *e impostas sem o direito de análise, estruturadas na imagem de um Deus vingador e mais cruel do que os Seus filhos, cedessem lugar à descrença, à indiferença. No entanto, seria de esperar-se que fossem substituídas por formulações novas e atuais, compatíveis com as conquistas da Ciência e da Razão. Isso, porém, não ocorreu, conforme teria sido ideal.*

Por consequência, muita falta faz ao ser humano o conhecimento da doutrina cristã em suas origens, das mensagens de Jesus em sua pulcritude, da comunhão mental com o dever, tornando-se ação equilibrada do dia a dia existencial.

O mundo encontra-se em terrível luta neste momento histórico, exigindo decisão lúcida de cada Espírito reencarnado, a respeito de como conduzir-se, a fim de fruir de harmonia, o que não lhe tem sido fácil por desconhecer os roteiros propiciatórios ao êxito do cometimento.

Torna-se necessária uma nova proposta espiritual, que já se encontra na Terra, desde o ano de 1857, quando da publicação de O Livro dos Espíritos, *por Allan Kardec.*

★

As lições que apresentamos neste livro não constituem elementos mágicos para que se alcance de imediato a plenitude.

São, porém, sugestões saudáveis, convidando as pessoas a uma revisão da própria existência e a uma releitura do Evangelho com visão mais abrangente e moderna, estribada na realidade dos dias que passam.

Utilizamo-nos de questões abordadas no referido O Livro dos Espíritos,[1] *de Allan Kardec, que procuramos comentar, ampliando-lhes o precioso conteúdo, a fim de mais eficazmente ser utilizado como recurso valioso de reflexão e de conduta.*

Na questão de número 920, da obra em tela, por exemplo, o insigne codificador apresentou oportuna interrogação aos desencarnados Benfeitores da Humanidade, que lhe responderam, conforme segue:

Pode o homem gozar de completa felicidade na Terra?

"Não, por isso que a vida lhe foi dada como prova ou expiação. Dele, porém, depende a suavização de seus males e o ser tão feliz quanto possível na Terra."

---

[1] Utilizamo-nos da 29ª ed. da FEB de *O Livro dos Espíritos*, de Allan Kardec (nota da autora espiritual).

É verdade que não se pode desfrutar de felicidade plena durante a jornada carnal, no entanto, por meio dos atos morais cada pessoa pode atenuar as aflições que decorrem das experiências infelizes originadas em suas existências transatas.

Mediante a orquestração de pensamentos salutares, de leituras edificantes, de aprendizagem enobrecida, de convivência harmônica ao lado de outros indivíduos, conseguirá programar o futuro feliz, libertando-se, a pouco e pouco, do pessimismo, das angústias e aflições, bem como das dificuldades que o desafiam, sabendo como administrá-las.

Todo esse arsenal de instrumentação encontra-se na Doutrina Espírita, que atualiza o pensamento de Jesus, conforme Ele o prometera, abrindo espaços mentais e emocionais para novas conquistas e realizações libertadoras.

Consciente de haver feito o melhor do quanto se encontra ao meu alcance, ofereço, no amanhecer do Novo Ano, aos gentis leitores o presente livro, que foi elaborado com oportunas lições para a conquista da felicidade relativa que se pode adquirir na Terra.

Salvador, 1º de janeiro de 2003.

Joanna de Ângelis

1
MUNDOS HABITADOS

55. São habitados todos os globos que se movem no espaço?

"Sim, e o homem terreno está longe de ser, como supõe, o primeiro em inteligência, em bondade e em perfeição."

De acordo com a premissa admitida pela Ciência de que duas partículas portadoras da mesma carga de energia se equilibravam no espaço, quando uma delas apresentou alteração, produziu-se o grande choque, do qual as moléculas que se encontravam aglutinadas se expandiram pelo Universo, dando lugar, a partir daí, ao surgimento do Cosmo.

A cada instante, porém, esse Cosmo experimenta contínuas e incessantes alterações defluentes do surgimento de novas galáxias, assim como de outras que são absorvidas pelos buracos negros.

Sob outro aspecto, esse Universo relativo está circunscrito a uma área quase infinita de onde as moléculas que já alcançaram a sua borda retornam, produzindo os quasares azuis.

Nesse turbilhão de sistemas, uns que nascem e outros que morrem, a vida constitui o grande desafio para o entendimento limitado da criatura humana.

Considerando-se a causalidade única, do ponto de vista físico de todos os sistemas, é compreensível que se tenha em mente que as moléculas que os compõem são todas procedentes da *massa inicial*, portanto, com a carga de iguais elementos, variando apenas o período gasto na sua expansão, condensação e organização molecular.

Depreende-se daí, que a vida ser-lhes-á um fenômeno natural e inevitável, se examinada somente pela realidade da organização molecular, dependendo, por efeito, dos fatores da sua própria constituição.

Mesmo do ponto de vista materialista, como pretendem aqueles que assim se comportam, o surgimento dos seres inorgânicos e orgânicos resulta do automatismo dessas aglutinações, propiciando a existência de vida nos mais variados e remotos desses elementos, assim como nos mais próximos do fulcro da Grande Explosão.

Por que se pensar, então, na exclusividade de vida na Terra, já que, à semelhança de outros sistemas, a sua origem deu-se na mesma *geleia* molecular?

Assevera-se, então, que os fatores próprios à sua existência não existem em outros globos, o que carece de fundamento, porque a vida não se apresenta apenas conforme o padrão terrestre, senão de acordo com as ocorrências mesológicas, que lhes propiciam formas e constituições específicas ao processo de evolução infinita.

Ademais, no turbilhão dos astros que gravitam prisioneiros dos seus centros de atração, são inumeráveis aqueles que possuem, ou possuíram, ou possuirão as mesmas condições favoráveis ao padrão atual de vida e de que a Terra se faz possuidora.

Assim, portanto, à sua semelhança, em incontáveis deles houve vida igual à terrestre, estará havendo ou haverá, porquanto no infinito do tempo e do espaço nada permanece inativo ou sem finalidade.

★

Deus, porém, é a Causa Única do Universo.

Dê-se-Lhe o nome que melhor se adapte ao conceito filosófico que se desfrute, não se Lhe pode fugir à Realidade.

Quando se analisa a Grande Explosão, por exemplo, como sendo a desencadeadora da expansão nuclear das moléculas, defronta-se de imediato com um efeito já existente a apresentar fenômeno, e cuja origem perde-se no infinito das excogitações, no qual está o Criador Incriado.

Uma análise cuidadosa da informação bíblica revelada, assim como de outras doutrinas de recuadas épocas, extraídas as concepções míticas naturais e os enxertos do interesse de grupos de teólogos, assim como de políticos e de paixões nacionais, encontramos o *arquétipo* conceptual que corresponde aos dados da paleontologia e da cosmogonia contemporâneos, que confirmam as sucessivas etapas do processo criador, culminando com o surgimento do ser humano, o mais recente de todos os fenômenos nessa evolução...

Substituindo-se o conceito de dia pelo de *Era geológica*, teremos um estudo muito próximo das constatações da Ciência, no que diz respeito ao sistema solar e ao planeta terrestre.

Nesse majestoso turbilhão de galáxias que exaltam a glória da Criação Divina, a vida estua indestrutível, propiciando ao Espírito, nas mais diversas faixas de desenvolvimento, a augusta oportunidade de compreensão de si mesmo e do Pai, em cujo rumo avança através das infinitas etapas da reencarnação.

Dessa forma, o *privilégio* em torno da vida apenas na Terra cede lugar à misericórdia de Deus, enriquecendo todo o Cosmo com a mensagem de amor em forma de seres variados que Lhe são filhos muito amados.

Nada, portanto, destituído de finalidade e objetivo na *Casa do Pai*, com as suas incontáveis moradas, conforme acentuou Jesus com lucidez incomum, antes com propósitos definidos, facultando o infinito crescimento de tudo e de todos na direção da perfeição relativa que lhes está destinada.

A vida estua prazenteira e feliz em toda parte, propiciando harmonia e beleza em variadas manifestações para a glória do Espírito andarilho das estrelas.

Saber utilizar-se desse conhecimento através da inteligência e do sentimento, transformando-se sempre para melhor e autoiluminando-se constitui o formidando desafio que se tem pela frente, aprendendo para errar menos, resgatando o erro a fim de fixar a aprendizagem quando foi equivocada, e sempre conquistando amor para melhor sintonizar com as *forças vivas* que se agitam em toda parte.

A vida inteligente, portanto, patrimônio do Pai Criador, exulta no Universo, ensejando concepções inimagináveis, que são poemas ricos de bênçãos de paz e de plenitude.

★

Não apenas com a mesma constituição anatomofisiológica se expressa a vida nos variados campos existenciais.

Desde a sua realidade como *princípio inteligente* que habita os espaços siderais, sem necessidade do invólucro físico, até as construções mais grosseiras da matéria que lhe serve de domicílio transitório para a evolução, o Espírito se sublima através do carreiro das reencarnações.

Conforme seja a constituição mesológica e como se manifestem os fenômenos de luz e de calor, em qualquer lugar do Cosmo a Vida responde com formas e manifestações próprias para esse *habitat*, especial na escala dos mundos por onde rumam os Espíritos na direção de Deus.

2
INSTINTO E INTELIGÊNCIA

74. Pode estabelecer-se uma linha de separação entre o instinto e a inteligência, isto é, precisar onde um acaba e começa a outra?

"Não, porque muitas vezes se confundem. Mas, muito bem se podem distinguir os atos que decorrem do instinto dos que são da inteligência."

Herdeiro das próprias experiências, o Espírito vem-se desenvolvendo ao longo dos milênios, alcançando patamares de evolução mais elevados e ricos de conhecimentos, assim como de sentimentos.

Simples e ignorante nos seus primórdios, é portador dos tesouros divinos que nele jazem adormecidos, despertando lentamente durante o pélago das reencarnações até atingir a angelitude, que lhe está reservada.

A princípio, nesse psiquismo sem experiências evolutivas, apresentam-se os impulsos que são o surgimento dos instintos, predominando aqueles que fazem parte da sobrevivência para a conservação da vida, tais como a nutrição, a reprodução, o repouso. Concomitantemente têm início as manifestações primárias da luta para conseguir o atendimento dessas necessidades básicas, logo resvalando para a agressividade e a violência, que exteriorizam os desejos ainda infrenes que são predominantes em essa natureza fortemente animal.

À medida que se ampliam as áreas do relacionamento social, despontam as disputas pela posse, surgem as paixões dominadoras, aparecendo ao lado da competitividade, o ódio, o rancor, o desejo de vingança quando se encontra contrariado, o ciúme, a inveja, a astúcia para enganar, e as torpes condutas para disfarçar a inferioridade.

De igual modo, despontam os primeiros sentimentos de afetividade, de compaixão, de amparo e apoio aos seus – grupo social e sanguíneo – que se dilatarão através das futuras experiências aos enobrecidos devotamento e abnegação que convidam à doação da própria vida, se necessário, em favor do seu próximo.

Desponta espontaneamente a inteligência, no início, como manifestação do instinto que não discerne, apresentando-se com a complexidade de valores que a constituem e se desenvolvem ao longo das necessidades evolutivas e dos desafios ambientais, sociais, morais e espirituais.

A inteligência passa a comandar as ações, sendo *vítima*, muitas vezes, das artimanhas dos instintos, que a municiam de recursos para serem atingidos os fins que elaboram, especialmente na predominância das suas paixões.

Assim se deu no desenvolvimento das forças guerreiras, que equiparam o ser de armas cada vez mais poderosas e portadoras de forças de extermínio mais rápido e violento, até o momento da construção dos denominados *mísseis inteligentes* conduzidos por computadores.

Somente pelas consequências lamentáveis que se dão, quando utilizada para o crime e para o egoísmo, é que a inteligência se direciona para os valores éticos e as emoções enobrecidas, trabalhando o potencial inato em favor do progresso e da felicidade.

No dia em que se unam os tesouros de alguns dos instintos transformados em sentimentos e de outros convertidos em inteligência lúcida, será adquirida a sabedoria, que os harmonizará em um todo de paz.

★

Toda vez que o indivíduo reage, dominado por qualquer tipo de violência, os atos que disso decorrem são manifestações dos instintos agressivos que nele predominam.

Quando, ao invés de revide ou de autodefesa, age com equilíbrio e compaixão pelo opositor, é um resultado de expressão da inteligência.

O instinto impõe, enquanto a inteligência expõe.

O primeiro é imperioso e dominador, enquanto a segunda se exterioriza através de argumentos claros e lógicos, predispondo à aceitação.

O instinto é manifestação automática do organismo, entretanto a inteligência é expressão do pensamento que, à medida que se ilumina, mais lúcido e dinâmico se apresenta.

O instinto sempre se exterioriza armado, em mecanismo de autodefesa, preservando a própria vida. A inteligência desarma-o de agressividade, porque reconhece que a melhor maneira de manter-lhe a existência é trabalhar-lhe a paz e o desenvolvimento ético.

O instinto leva ao desespero, e suas reações produzem desarmonia mental, intoxicando a razão toda vez que se exalta e se acredita em risco, perseguido ou não. Por sua vez, a inteligência, quando liberada dos artifícios do instinto, aclara a situação, mesmo quando desagradável, propondo soluções de bem-estar e de efeitos saudáveis.

Um é sempre tirânico, porque não raciocina, enquanto a outra, que se pode apresentar cruel e perversa, pode ser ainda mais iníqua, exatamente porque pensa e pode elaborar instrumentos de vingança, de destruição, de maldade, de crueza...

Nesse conturbar de emoções entre o instinto e a inteligência, os sentimentos, forjados no sofrimento ou nas aspirações do amor enobrecido, tornam-se responsáveis pela conduta de ambos na exteriorização das suas funções na vida.

Os instintos são essenciais à existência, porque preservam as heranças do desenvolvimento antropológico do ser e continuam agindo com os seus automatismos para a preservação do corpo.

A inteligência é-lhe fundamental para a conquista do infinito, em razão de facultar-lhe recursos que tornam a qualidade de vida muito melhor e abrem espaços para as conquistas tecnológicas, artísticas, culturais, religiosas e espirituais, respondendo-lhe pelas realizações sociopsicológicas.

Os instintos, pois, e a inteligência são os dois fatores que, harmonizados, transformam o homem em anjo e o bruto em santo.

★

O instinto, quando desenvolvido e educado, torna-se um sentido a mais, vigilante no organismo em defesa da sua estrutura biológica, e a inteligência é a luz balsâmica a conduzi-lo no labirinto das agressões externas que o ser deve enfrentar.

Judas, por instinto infeliz, de medo e de ambição desmedida, enganou-se, traindo Jesus.

Maria Madalena, guiada pela inteligência que a induziu a libertar-se dos instintos vis que a dominavam, encontrou Jesus e liberou-se do vício, sublimando os sentimentos em que chafurdava.

Átila, guiado pela fúria do instinto perverso, assolou grande parte do mundo do seu tempo e sucumbiu devorado pelo ódio.

Agostinho de Hipona, reconhecendo, pela inteligência, a grandeza de Jesus e de Sua mensagem, superou os tormentos íntimos do instinto sexual e fez-se modelo de equilíbrio para si mesmo e para a posteridade.

Pilatos, lavou as mãos, por instinto, evitando envolver-se na trama da covardia farisaica e, por falta de inteligência lúcida, comprometeu-se vilmente, perdendo a oportunidade feliz que se lhe deparara.

Guiado pela inteligência iluminada pelo sentimento de amor, o instinto se transforma em instrumento de felicidade.

Mediante, portanto, os atos que decorrem da conduta humana, pode-se saber quando são procedentes do instinto ou da inteligência.

3
ASPIRAÇÕES MÁXIMAS

114. Os Espíritos são bons ou maus por natureza, ou são eles mesmos que se melhoram?

"São os próprios Espíritos que se melhoram e, melhorando-se, passam de uma ordem inferior para outra mais elevada."

O ser humano, educado conforme as convenções sociais, não raro se preocupa apenas com os valores imediatos e de respostas objetivas, concretas, que facultem alegrias momentâneas.

As suas ambições giram em torno daquilo que pode ser transformado em lucro, cujos resultados atendam aos interesses existenciais, envolvendo-o em novas buscas para favorecer-lhe prazer e poder mais grandiosos.

O imediatismo transforma-se na única meta que persegue. E, mesmo quando pensa no futuro, esse se lhe apresenta como oportunidade de prosseguir desfrutando tais concessões, que podem ser conseguidas através do poder aquisitivo e dos relacionamentos com os quais se identifica.

Impensadamente acredita que toda a existência deverá transcorrer em forma de agradável jornada de gozos e experiências compensadoras, sem dar-se conta dos incidentes naturais e dos problemas que dizem respeito à própria organização molecular na qual se encontra mergulhado.

Vagas ideias da vida espiritual fazem parte da sua agenda de informações, dando-lhe um significado secundário, como se ela fosse uma ficção que merece, vez que outra, algum comentário, do qual se extraiam considerações mitológicas, irreais...

O corpo é a sua fonte de prazer, e todas as energias são direcionadas para a sua manutenção, preservação e concessões a ele pertinentes.

Surpreendido, porém, pelos fenômenos biológicos ou psicológicos que lhe constituem a maquinaria de uso, e que não correspondam aos apetites e planos delineados, deixa-se arrastar pelo corredor estreito dos conflitos ou da amargura, reclamando e exigindo alteração de ocorrência, em face do que observa nos outros, naqueles que se lhe apresentam como tipos padrões que sempre parecem felizes e sem problemas.

Essa miopia espiritual é responsável por larga faixa de depressivos, exaltados, toxicômanos, pervertidos, ansiosos, desequilibrados.

Mediante uma óptica totalmente distorcida, esse indivíduo acredita-se credor da Vida e nunca dependente, cujos meandros deveria percorrer com diferente comportamento.

O hedonismo que nele predomina é força de coerção asfixiante, que a cada dia se torna mais selvagem e impiedoso, afligindo-o sem cessar.

A transitoriedade do corpo é, sem dúvida, uma bênção para o Espírito, porque se encarrega de vencer a arrogância de uns e a supremacia de outros, o orgulho de alguns e a presunção de diversos, em razão de a todos conduzir dentro das mesmas expressões de fragilidade e de necessidades equivalentes.

Não obstante essa circunstância, que é fundamental e definidora da vida, não são escassos aqueles que permanecem no pedestal do ufanismo, acreditando-se ou fingindo acreditar-se diferentes, superiores, merecedores de todos os favores que supõem merecer.

Nenhuma acusação a quem assim procede. Apenas é de lamentar que, na atual conjuntura espiritual da Terra, ainda permaneçam pessoas ignorando a realidade de si mesmas, os objetivos superiores a que se devem entregar, o significado das suas existências, os melhores métodos e recursos para adquirir a felicidade sem jaça e alcançar a harmonia ideal.

O tempo, na sua imutabilidade, *devora* todas as construções ilusórias.

Passando-se através dele, esboroam-se os castelos da fantasia e as edificações da vaidade.

Nações sucedem-se, umas às outras, com as suas glórias e decadência, suas realizações poderosas e temporárias, deixando escritas, nas estelas de pedras calcinadas pelo Sol ardente e sob os lençóis de águas oceânicas ou de areias dos desertos, as ruínas daquilo que antes foram esplendor e grandeza.

Povos inteiros sucumbiram e os vestígios das suas jornadas são estudados, em vãs tentativas de buscar-se respostas para a sua forma de vida, as suas atividades e os seus dias ora ultrapassados.

Homens e mulheres notáveis assinalaram os seus momentos nessa história admirável, que é a saga da conquista do Infinito e, principalmente, da imortalidade.

São essas páginas vivas de ontem que se apresentam mortas nos monumentos e obras eloquentes, que devem servir de advertência a todos aqueles que vivem estes momentos de conquistas e de exaltação, ambicionando pelo prolongamento do tempo no corpo, sem dar-se conta da maior vitória, que é aquela adquirida sobre a morte.

O ser imortal é o grande vencedor de todos os embates. Penetrar-lhe a origem, o destino, e interpretar-lhe as disposições para autovencer-se, há de tornar-se o programa racional a que cada homem e mulher se devem vincular, dedicando-se à elucidação das incógnitas que surjam pela frente.

Nessa tentativa de entender o mundo causal de onde procede e para o qual retornará, desenvolver-se-lhe-á o sentido de dignidade e cuja ambição máxima deverá ser aquela que diz respeito à sua realidade profunda, que lhe facultará um avanço incomum para a conquista de si mesmo.

O carro orgânico passa muito rápido pelas estradas do tempo, mas o Espírito imortal vence-o com galhardia, porque se encontra em conjuntura diversa do seu impositivo.

★

Conta Heródoto de Halicarnasso que o rei Creso da Lídia era possuidor da maior fortuna existente no seu tempo. Seus palácios e bens somavam importância extraordinária, no entanto, sendo pai de dois jovens, um deles era surdo-mudo, não podendo dar continuidade à governança do povo, e o outro, a quem desejava tornar rei, foi vítima de um augúrio cruel, revelando que seria morto por uma lança ou flecha, o que aconteceu, para infelicidade do genitor.

Recebendo, oportunamente, Sólon, o sábio ateniense, no seu suntuoso palácio, aguardou que o nobre visitante o elogiasse e, por todos os meios, tentou descobrir-lhe o pensamento a respeito da sua importância.

Como Sólon se mantivesse discreto e o advertisse indiretamente quanto ao tempo, ficou magoado e desiludido.

Posteriormente, desencadeando a guerra contra Ciro, rei dos persas, foi batido em diversas batalhas, até que tombou prisioneiro do adversário poderoso.

Levado ao poste da humilhação para ser queimado, teria exclamado: – *Oh! Sólon, como tinhas razão...*

Casualmente passando junto ao que seria a fogueira pronta para consumir o vencido, Ciro ouviu-lhe a exclamação, e porque fosse admirador de Sólon, mandou libertá-lo e indagou-lhe porque a ele se referira, havendo o monarca em desgraça contado o que acontecera quando recepcionou o sábio.

Compadecido, Ciro poupou-lhe a vida e manteve-o a seu serviço pelo resto da existência...

Ali estava muito bem representada a transitoriedade das glórias terrenas, quando o rei passou a vassalo...

Somente na conquista dos valores eternos é que o ser adquire bens que se não transferem de mãos e harmonia que nada vence.

4
PROGRESSO PELA REENCARNAÇÃO

"A ação dos seres corpóreos é necessária à marcha do Universo. Deus, porém, na Sua sabedoria, quis que nessa mesma ação eles encontrassem um meio de progredir e de se aproximar d'Ele. Deste modo, por uma admirável Lei da Providência, tudo se encadeia, tudo é solidário na Natureza."

(Comentários de Allan Kardec à resposta da questão nº 132.)

A reencarnação é Lei universal para o progresso. Variando de um para outro mundo, assim como de um para outro sistema, todos os Espíritos passam pelo crivo da reencarnação, a fim de se aproximarem de Deus e fruírem da plenitude que lhes está reservada desde o momento da sua criação.

Mediante o crisol da matéria, que proporciona a lapidação da ganga que oculta o esplendor de que se constitui, o Espírito experimenta o sofrimento do mergulho na forma somática, propiciando-se a sublimação paulatina e inevitável.

A princípio, obedecendo ao automatismo das leis, sem ter consciência do que ocorre, vai adquirindo a lucidez que lhe permite opções granjeadoras dos títulos de enobrecimento que irão funcionar como verdadeira diretriz de segurança para o êxito.

A reencarnação sempre constitui um grande desafio, cuja magnitude somente pode ser avaliada pelos resultados de que se reveste.

Obedecendo ao estatuto da evolução, o Espírito jamais regride, porquanto a cada conquista lograda mais facilmente se liberta das faixas mais primárias em que se encontrava, assim conseguindo o constante crescimento interior.

Mesmo quando se equivoca e se compromete, tendo necessidade de retornar em *cárceres orgânicos ou mentais*, em face das limitações que lhe são impostas como indispensáveis à reparação, qual ocorre nos processos expiatórios, o patrimônio de que dispõe continua arquivado para ressurgir logo seja concluída a etapa mais dolorosa.

Perfeitamente compatível com a Divina Justiça, que a todos concede os mesmos direitos e deveres, permitindo que cada qual ascenda com a rapidez ou a lentidão que o livre-arbítrio lhe faculte, é verdadeiro curso de entendimento e de aquisição dos tesouros imortais, que não podem ficar à margem pelo infinito do tempo.

Experiência fascinante, cada oportunidade é toda uma elevada concessão que enriquece interiormente e amplia a visão da realidade espiritual, atraindo sempre no rumo do Eterno.

Através dos contínuos mergulhos na argamassa orgânica, tanto quanto na sua consequente liberação pela morte, o Espírito aprende a valorizar cada lição de alegria, que agradece, e de sofrimento, que bendiz.

O recrudescer da luta não o desanima, por entender que os horizontes mais amplos para serem conquistados exigem experientes combatentes, que deles mais se beneficiam, ao tempo que aos demais ajudam.

Sem a reencarnação, a vida terrena estaria totalmente destituída de sentido psicológico e moral, tendo-se em vista as disparidades que caracterizam a massa humana e as chocantes apresentações dos seres lesados no corpo, na emoção, na mente, e desprovidos de qualquer chance para serem felizes.

★

Quando lúcido o Espírito e diante da necessidade do retorno ao corpo para nova experiência reencarnatória, grave preocupação o domina, tendo em vista os riscos a que será submetido, as provas que deverá experimentar e as expiações naturais propostas pelo sofrimento que o lapidará.

Aqueles que lhe compartem a afeição, igualmente desencarnados, envolvem-no em ternura, inspiram-no e emulam-no ao atendimento da prova, porque dela serão derivadas as alegrias do futuro.

Normalmente analisa as possibilidades de que irá dispor, os enfrentamentos que deverá encontrar, o contato com antigas vítimas e formosas afeições, as tirânicas atrações que o magnetismo da matéria faculta, os perigos que surgem a cada momento... Nada obstante, são dominados por grande empatia de esperança e viajam no rumo do corpo físico enriquecidos de expectativas felizes e abraçando inúmeros planos de realização.

Muitas vezes, porém, ao mergulhar na carne, a névoa orgânica tisna-lhe o discernimento e passa a debater-se na neblina que o envolve, comprometendo-se com antigos vícios que ainda remanescem na sua economia moral, envolvendo-se com anteriores companheiros que ainda renteiam na sombra da perversidade ou do erro, e o arrastamento das más inclinações pode pôr a perder todo o programa cuidadosamente elaborado.

É certo que jamais falta a cooperação daqueles que ficaram na erraticidade, seus guias, amigos e benfeitores espirituais, que buscam inspirá-lo com insistência, encaminhando-lhe corações generosos e afeiçoados, a fim de o socorrer.

Noutras ocasiões, durante o sono físico, é conduzido de volta ao ninho espiritual de onde se afastou para o mister evolutivo, e ali lhe são recordados os compromissos assumidos, reavaliadas as tarefas a desenvolver, definidos os futuros empreendimentos.

Se procede de região feliz, é-lhe habitual a melancolia que decorre da saudade do ambiente ameno e ditoso onde se encontrava e da aspereza do que agora tem pela frente. Mas essa mesma saudade, que não se pode converter em angústia, é-lhe emulação para mais fácil desincumbência das tarefas que deverá realizar, abreviando o curso carnal que logo lhe concederá a liberdade anelada.

Assim, da mesma forma que a desencarnação constitui um momento grave na trajetória do ser, a reencarnação igualmente se lhe apresenta como uma porfia de grande responsabilidade cujas consequências irão alterar o seu destino.

★

Nenhum Espírito jamais se pode eximir à reencarnação, por cujo processo, e somente por ele, alcançará a felicidade.

Os Espíritos puros e angélicos de hoje passaram também pela fieira das provas, conquistaram a excelência de que desfrutam, sem que tenham recebido como privilégio uma vida de exceção.

Por mais difícil se apresente a estrada a percorrer, durante a reencarnação, mesmo que assinalada por abrolhos e dores, solidão e desar, o mestre sofrimento estará realizando a parte que a ele compete desenvolver para que rutile a luz interna de Deus que jaz no ser em evolução.

5
PERTURBAÇÃO ESPIRITUAL

163. A alma tem consciência de si mesma imediatamente depois de deixar o corpo?

"Imediatamente não é bem o termo. A alma passa algum tempo em estado de perturbação."

A herança mitológica existente nas criaturas humanas é responsável pela crença de que lhes basta o arrependimento de uma ação negativa para que se libertem das consequências que lhes advêm inevitavelmente.

O comportamento simplista e enganoso que as caracteriza leva-as a crer que o fenômeno da morte é também de libertação das penas e dos crimes perpetrados, bastando somente que haja a aceitação de uma ou de outra conduta religiosa, através da qual se pode conseguir a plenitude, sem recordação do passado nem apego aos interesses que constituíram a razão de ser da existência recém-encerrada.

O hábito ancestral do perdão concedido no momento *in extremis* do ser, mediante ritualística destituída de emoção por parte do celebrante, não consegue proporcionar ao Espírito a harmonia que não cultivou durante toda a trajetória física, ou mesmo conceder-lhe a felicidade para a qual não se empenhou através das atitudes de enobrecimento e de solidariedade que lhe são indispensáveis.

A realidade, porém, é muito diferente.

Morrer é fenômeno biológico de grande significado e de repercussões profundas para aquele que deixa o invólucro orgânico.

De acordo com os hábitos vivenciados e a conduta mental mantida, ele permanecerá vinculado aos despojos, que já não mais o atenderão, ou experimentará rudes aflições de que não tem facilidade para superar.

Imantado ao corpo somático por meio do perispírito, célula a célula, mediante a circulação sanguínea, o desprendimento somente ocorre quando a mente em equilíbrio se adapta às novas condições do campo vibratório no qual ora se encontra.

As aspirações e necessidades, os vícios e virtudes mantidos, os sentimentos de apego ou de libertação que fizeram parte do seu dia a dia constituem algemas de retenção aos despojos mortais ou asas para a ascensão aos páramos da felicidade que almeja.

Não se interrompem os anseios do sentimento ou das paixões demoradas pelo simples ato da cessação do fenômeno biológico.

Os automatismos fisiopsicológicos prosseguem sem solução de continuidade, induzindo aos mesmos hábitos, ora impossíveis de realizados, transformando-se, desse modo, em angústias e perturbações que se prolongam pelo tempo necessário à sua libertação.

★

A perturbação espiritual resulta da surpresa que toma o desencarnado ante a ocorrência para a qual não se preparou convenientemente, constituindo-lhe grande frustração e motivo de arrependimento tardio.

Sensações peculiares àquelas que foram mantidas pelo corpo, através da imantação do perispírito, permanecem afligindo sem consumar-se, o que constitui grave desequilíbrio para o Espírito.

Necessidade incoercível de volver ao corpo ou evitar-lhe a decomposição, torna-se-lhe motivo de desespero incomum.

Acompanhar a matéria entumecida e em degeneração, produz-lhe pavor indescritível que o aturde e o enlouquece, como é compreensível.

A surpresa ante a realidade que o toma fere-lhe profundamente o sentimento, que se esfacela sob os camartelos da angústia e do medo.

A presença irônica daqueles com os quais mantinha convivência espiritual enquanto na Terra, constituindo-lhe o grupo de sintonia, aparvalha-o, deixando-se arrastar a regiões de sofrimento e alucinação que se alargam por período indefinido.

Por outro lado, aquele que se afeiçoou ao Bem e administrou as más paixões, os vícios lamentáveis, desperta fora do corpo em estado de torpor, recuperando lentamente a razão e sendo recebido pelos afetos que o precederam, ora em júbilo ante a sua chegada.

A gratidão pela existência vivida com equilíbrio, dignidade e enobrecimento enfloresce a mente de alegria, constatando, então, que a continuidade da vida é bênção de incomum significado, que ora se apresenta como compensação às lutas experimentadas e aos sacrifícios enfrentados.

Quando alguém desperta de um tratamento cirúrgico, conforme o seu estado nervoso habitual, apresenta-se em tranquilidade ou desesperação, de acordo com os hábitos mentais longamente mantidos.

Da mesma forma, a morte ou desencarnação – tratamento cirúrgico de porte total – faz que o indivíduo desperte mantendo a mesma conduta que o assinalava antes da ocorrência.

Inevitável que a perturbação espiritual seja o normal para a grande maioria daqueles que são convocados pela morte ao retorno à Pátria espiritual.

Não são poucos os homens e mulheres vinculados ao sensualismo, aos interesses sórdidos, às posições de destaque e dominação social, que da existência somente souberam experimentar o que lhes interessava ao egoísmo, que chegam ao Além-túmulo sem dar-se conta da ocorrência, continuando perturbados e aflitos, com exigências descabidas e nunca atendidas, e rebeldias injustificáveis que mais os tornam desditados e infelizes.

★

Diante da inevitabilidade do fenômeno da morte, devem todas as criaturas habituar-se à reflexão em torno do despertar espiritual.

Conforme seja vivenciada a existência, assim será o acordar além das vibrações do mundo físico.

Não existem milagres que beneficiem alguns eleitos em detrimento dos demais.

Cada ser carrega em si mesmo as algemas e as asas de que se utilizará após a morte do corpo físico.

A perturbação espiritual que acompanha o ser que sai do casulo orgânico pode ser de pequeno ou demorado curso, conforme a necessidade do despojamento das imperfeições que lhe tisnam o caráter e o vinculam ao magnetismo das paixões inferiores ou às vibrações enobrecidas que lhe eram peculiares.

Pensar na morte e no despertar deve fazer parte da agenda de reflexões de todos, porque ninguém se eximirá à desencarnação, preparando-se, desde agora, para o seu momento que, por mais se demore, chegar-lhe-á fatalmente.

6
CONFIA SEMPRE EM DEUS

264. Que é o que dirige o Espírito na escolha das provas que queira sofrer?

"Ele escolhe, de acordo com a natureza de suas faltas, as que o levem à expiação destas e a progredir mais depressa. Uns, portanto, impõem a si mesmos uma vida de misérias e privações, objetivando suportá-las com coragem..."

Supões que, pelo fato de estares vivendo momentos difíceis e desafiadores, nos quais os sofrimentos se acumulam, te encontras esquecido por Deus.

Arrolas angústias e provações que parecem haver chegado quando as tuas resistências morais se encontram debilitadas, levando-te ao confronto entre a fé que esposas e a realidade aflitiva.

Pensavas que a crença que mantinhas, nobre e pura, te pouparia aos testemunhos e às vicissitudes do caminho evolutivo, passando longe dos teus passos por toda a tua existência.

...E agora, quando és chamado à resignação, verificas que não possuis credenciais para a santificação, tampouco as características para tornar-te exceção no processo iluminativo.

Pensas que Deus não mais te ouve os apelos mudos do coração nem as preces ungidas de confiança, deixando-te ao abandono, qual barco sem leme em mar proceloso.

Temes não suportar os contínuos embates que ora te estremunham e deprimem, fazendo-te sucumbir.

Recompõe, porém, as paisagens mentais e renova-te na dor.

Ninguém transita pela experiência física em regime especial, sem o encontro com a sementeira do passado ora exuberante, aguardando.

Cada qual vivencia as necessidades mais imediatas conforme se apresentem, a fim de crescer por meio da sua superação.

O cristão decidido e o espírita em particular, melhor do que outros indivíduos, sabem como transcorrem as determinações da Vida – de acordo com a sementeira, dá-se a colheita. O que antes se fez reaparece na estrada do progresso para conveniente avaliação e consequente reparação ou ascese.

Não seja, pois, de estranhar, que te encontres em luta renhida, na qual os teus valores são postos à prova.

O espinho que fere, defende a rosa, e o cascalho grosseiro guarda o diamante.

Assim também, na existência de todos os seres humanos, o que pode parecer instrumento de aflição constitui proteção e defesa.

★

Jesus foi muito claro quando elucidou que o Pai veste de cores variadas e belas os campos, oferecendo ao lírio alvura incomparável, bem como providencia o alimento para as *aves do céu que não semeiam nem colhem.*

Por consequência, muito mais brinda aos Seus filhos humanos, que valem mais do que aqueles.

Evolução é impositivo inadiável, e todos que se encontram mergulhados no seu processo passam pelas diferentes etapas, a fim de fixarem conquistas e abrirem espaços para novos empreendimentos libertadores.

Um pai humano, mesmo que destituído de sentimentos superiores, providencia o pão, o agasalho, o medicamento, o socorro para o filho, planejando-lhe a felicidade e, não poucas vezes, empenhando-se para auxiliá-lo na conquista de um lugar ao Sol.

O Pai celestial, muito mais sábio e generoso, brinda todos os tesouros imagináveis aos Seus filhos, facultando-lhes a conquista mediante o empenho a que se entreguem. Na Sua magnanimidade, faculta-lhes as mesmas oportunidades e condições, velando, incansável, para que as metas sejam alcançadas e a plenitude conseguida.

Não te descoroçoes, portanto.

Tempestade de hoje, é bonança que chegará amanhã.

Estás fadado à glória estelar. Conquista, por enquanto, os pequenos espaços que se encontram vazios, e faze do sofrimento um meio de superação do egoísmo e de toda a trama sórdida que ele elabora e executa.

Vence cada etapa desse processo com alegria de viver, compreendendo que ninguém chega ao topo da subida sem ultrapassar as fases iniciais das baixadas.

★

Confia em Deus em todas as situações da tua existência.

Se, entregando-te a Ele, em cuja misericórdia haures forças e coragem, ainda enfrentas desaires, imagina-te o que ocorrerá sem que mantenhas forte esse élan poderoso, e te descobrirás mais vulnerável e fragilizado para os sucessivos embates do caminho de crescimento interior.

Recorda-te que as provações que te visitam, tu as solicitaste a Deus, que as concedeu como função terapêutica para o Espírito endividado que és, conseguindo a honra de vivenciá-las.

Desse modo, nunca permitas que o desencanto e a aflição te conduzam à dúvida a respeito da Sua proteção.

Ele, que te criou, providencia todos os recursos para que alcances a finalidade sublime para a qual nasceste.

Examinando em derredor, verificarás que não estás a sós no testemunho.

Qual ocorre com esses outros, depuras-te, aprendendo o correto uso da experiência carnal, a fim de ascenderes no rumo da plenitude que te aguarda.

7
PROCESSO DE EVOLUÇÃO

330. a) – Então, a reencarnação é uma necessidade da vida espírita, como a morte o é da vida corporal?

"Certamente; assim é."

A reencarnação é Lei da Vida assim como o são a gravitação universal e a eletricidade.

Incursa nas Leis morais que regem o Cosmo, constitui o processo de crescimento dos valores que jazem adormecidos no ser, qual ocorre com a glande que guarda o carvalho imponente, aguardando os fatores próprios para o seu surgimento.

A Magnanimidade Divina a todos cria iguais, portadores de simplicidade e ignorância das verdades transcendentes, facultando-lhes, a esforço pessoal, arrebentar a couraça do desconhecimento em que se ergastulam para lograr a sabedoria que lhes está destinada.

Esse formoso processo é áspero, tornando-se, não poucas vezes, semelhante ao parto que faculta a libertação de uma vida pulsante e prisioneira através do sofrimento de quem a encarcera.

Essa dor, no entanto, é relativa à maior ou menor materialidade moral em que permanece o ser. Quando atrasado, somente portador de instintos e de impulsos, as suas resistências são muito tenazes, exigindo a ruptura da couraça a fortes golpes de dilaceração das suas estruturas. À medida que a razão lhe faculta o entendimento da necessidade do progresso, a vontade contribui de maneira vigorosa para a ocorrência, diminuindo a força inevitável da ruptura, ocorrendo a dissociação paulatina dos envoltórios que a limitam. Por fim, no período mais avançado, tudo se dá suave e prazerosamente, superados os mecanismos de obstrução da percepção divina.

Uma existência física é período muitíssimo breve para a aquisição dos tesouros inimagináveis da sabedoria que promana de Deus.

Comparando-se os seres que compõem o tecido social da Terra, veremos as diferentes faixas em que transitam, desde o primarismo, que é peculiar a povos muito atrasados, mas que também remanescem na denominada *sociedade de consumo*, passando pelos indivíduos educados e cultos e alcançando o patamar do espiritualizado e livre.

Do bruto ao apóstolo, do agressivo ao pacífico-pacificador, do complexado e de comportamento mórbido ao cordato e gentil permanece um grande pego, que não pode ser vencido em uma etapa carnal apenas.

O salto em direção ao sublime não ocorre pelo impulso de um momento, senão mediante a lenta construção de valores morais e espirituais que são específicos para cada criatura.

Assim, a reencarnação representa o inefável amor de Deus, auxiliando Suas criaturas na aquisição dos tesouros eternos de beleza, sabedoria e amor.

★

O desenvolvimento intelecto-moral do ser é lento e contínuo, resultando das aquisições que são realizadas nas diversas experiências carnais, abrindo espaços para outras mais profundas quão significativas.

Em cada etapa o Espírito desenvolve uma ou mais aptidões no campo do conhecimento, da inteligência, do sentimento, da arte, da beleza, da fé, inevitavelmente crescendo para Deus.

Quando se equivoca e faz uso indevido de alguma das experiências, retorna ao mesmo proscênio para refazer o episódio, aprendendo a não errar, semeando luz pelo caminho e liberando-se das algemas retentivas da retaguarda.

O avanço dá-se sem qualquer retrocesso, às vezes paulatino, graças às leis que regem a vida, ensejando provações iluminativas e expiações redentoras.

Quando o seu é um delito de pequeno porte, volve ao campo de batalha com as marcas do dano causado, de maneira a reabilitar-se, envolvendo aqueles que se lhe tornaram vítimas em vibrações de compreensão e de fraternidade, conseguindo o perdão necessário ao equilíbrio da consciência. Experimenta, então, enfermidades que induzem à reflexão; dificuldades que se fazem problemas, exigindo soluções; impedimentos no processo de aquisição de valores de vária ordem; carência afetiva e financeira; enfrentamentos sociais e inquietações íntimas, constituindo-se recursos de refazimento pessoal e emocional.

Quando reincidente inveterado no desar, insensível ao apelo do Bem, recomeça a jornada sob injunções dolorosas de que se não pode evadir, sofrendo enfermidades dilaceradoras ou situações vexatórias, inibições e limitações orgânicas, tais a cegueira, a surdez, a mudez, a idiotia, a paralisia, impossibilitado de volver aos mesmos descalabros que lhe assinalaram as atividades pretéritas.

No primeiro caso, dispõe de recursos e lucidez para novas conquistas, somando valores que contribuem para a diminuição dos gravames morais e facultam o desenvolvimento moral que proporciona iluminação e paz.

Na segunda situação, os graves limites impostos exigem, pelo sofrimento, a reflexão em torno dos objetivos essenciais da existência e de como recuperá-los através da senda dos espinhos que ficaram aguardando para ser recolhidos.

O amor, no entanto, será sempre o benfeitor eficaz para o mecanismo de crescimento espiritual.

Graças à sua vivência, o percurso poderá reduzir-se em extensão e em tempo, em face dos prodígios que faculta, anulando etapas amargas e oferecendo campos férteis para a sementeira da felicidade.

A reencarnação, portanto, é indispensável para o Espírito no formoso processo de busca interior, onde se encontra a fonte inexaurível da felicidade plena.

Sem ela, a vida humana se reduziria ao caos das circunstâncias propiciadas pelo acaso, que geraria uns seres ditosos com todas as possibilidades ao alcance, enquanto que outros talados desde o princípio sem a mínima chance de plenitude.

★

Jesus, conhecendo esse incomparável instrumento evolutivo constituído pelo ir e vir, acentuou no Seu formoso diálogo com Nicodemos, o célebre doutor da Lei e mestre do Sinédrio:

– *Em verdade, em verdade, te digo, que é necessário nascer de novo, para poder entrar no Reino dos Céus.*

E noutra ocasião muito própria, afirmou:

– *O Reino dos Céus está dentro de vós* – convidando-nos todos a tomarem-no com decisão, arrebentando os impedimentos no avanço realizado com invulgar coragem e decisão irrefragável.

Reencarnar-se, pois, é preciso, para o Espírito que ruma para Deus.

8

BATALHA ENCARNIÇADA

466. Por que permite Deus que Espíritos nos excitem ao mal?

"Os Espíritos imperfeitos são instrumentos próprios a pôr em prova a fé e a constância dos homens na prática do bem. Como Espírito que és, tens que progredir na ciência do infinito. Daí o passares pelas provas do mal, para chegares ao bem. (...)"

A luta é o clima natural pelo qual se opera o processo evolutivo. Os fenômenos de transformação fazem parte da agenda universal. A vida, sob o ponto de vista biológico, expressa tal ocorrência mediante o nascimento, a existência e a morte de todos os seus elementos, culminando na sua interrupção, especialmente no ser humano, que é o patamar mais avançado em que se expressa a organização celular.

No que diz respeito ao convívio social e ao inter-relacionamento pessoal, os mecanismos transformadores em lutas contínuas encarregam-se de elaborar os ajustamentos e as atividades que desenham os programas iluminativos para todos.

As batalhas encarniçadas são travadas em toda parte como decorrência dos limites morais do ser humano, particularmente quando escravizado ao egoísmo e direcionado pela insensatez dele decorrente.

Nessa peleja, multidões sucumbem hipnotizadas pela ilusão, devoradas pela sandice, desarvoradas pela frustração.

A morte interrompe sempre sem piedade esses despautérios e planos audaciosos de dominação pela força, que ainda vigem em muitos indivíduos alucinados.

Transferindo-se esses desprevenidos para o mundo espiritual, e constatando o prosseguimento da vida, legiões de violentos teimam em prosseguir nos dislates a que se entregaram, quais novos Lucíferes buscando igualdade ou mesmo superioridade a Deus, conforme a proposta da mitologia bíblica...

Vitalizam a animosidade entre as criaturas humanas, inspirando o ressentimento que cultivam, acusando-as pelo seu fracasso e investem desesperados contra todos, agredindo também as Instituições, por mais veneráveis, que lhes despertam ódios incomuns, na fúria de que se deixam possuir.

Autoidentificam-se como sendo as forças do mal em contínuo enfrentamento contra o Bem e todas as suas expressões.

Agradar-lhes-iam o fracasso e a loucura das massas, locupletando-se por absorção das suas energias vitais, de que se procuram nutrir, mediante vampirizações perversas.

Estão em toda parte e se fazem ameaçadoras.

Através da História demonstraram os seus objetivos infelizes, irrompendo com frequência e sitiando os missionários do amor e da luz, que jamais as temeram, advertindo os seus coetâneos e deixando informações claras para todos os tempos futuros.

★

Estes são dias iguais àqueles, nos quais os desafios do mal se fazem mais vigorosos e ousados.

Não mais sutilmente se apresentam, mas de maneira frontal, utilizando-se das imperfeições morais dos encarnados que lhes oferecem guarida.

★

Observa à tua volta o que vem ocorrendo. Verás disparates e desastres morais de todo porte, loucura emocional e desajuste comportamental ceifando alegrias e espalhando sandice, abandono de ideais, suicídios desastrosos...

Os escândalos se sucedem, tornando sombria a paisagem moral dos homens e mulheres terrestres. Nos mais diferentes segmentos da sociedade os desequilíbrios se apresentam e extremadas aberrações espocam, tentando adquirir cidadania, em razão do destaque das pessoas envolvidas, gerando perplexidade naqueles que são sensatos, pela maneira como se manifestam, dando a impressão de que o bem, a ética, o dever desapareceram, e somente a venalidade e o desrespeito predominam em a natureza humana.

A desonestidade e a astúcia dão-se as mãos para os crimes de toda natureza, que invadem os gabinetes governamentais, as assembleias e as altas câmaras onde se reúnem aqueles que elaboram as leis e se comprometeram velar pelos interesses públicos, alguns deles sendo os primeiros a dilapidarem o patrimônio econômico e legal da sociedade.

Os comportamentos religiosos, que deveriam primar pela probidade e equilíbrio em razão dos postulados morais e espirituais que lhes servem de alicerce, não têm escapado ao tormento da irresponsabilidade e são atirados em ruidosos escândalos que estarrecem, desde a agressão sexual infantil aos estupros, aos furtos e roubos, aos homicídios...

Há um plano bem-urdido para demonstrar a nulidade dos valores humanos, deixando sinais claros de que, em torno da conduta silenciosa dos indivíduos aparentemente modelares, encontram-se pantanais não conhecidos, nos quais submergem periodicamente através de práticas degradantes que ninguém poderia imaginar.

O objetivo essencial dessa batalha é semear a desconfiança nas conquistas elevadas do ser e, por extensão, gerar medo e perplexidade, rompendo os elos de vinculação com o equilíbrio que todos procuram.

É, portanto, esta uma batalha encarniçada, na qual todos se encontram envolvidos, porque do Bem contra o Mal.

Nela não há lugar para a imparcialidade.

A tua definição espírita impõe-te o dever de lutar, certamente com as armas do amor, da benevolência e da caridade, como fazem muitos outros homens e mulheres honestos, que jamais se deixaram contaminar pelo bafio pestilencial do crime e da brutalidade que toma conta da Terra.

São esses cidadãos honrados que demonstram os valores da civilização e da ética em pleno vigor no mundo, embora aquelas exceções.

Desse modo, nunca percas o teu tempo em contendas infindáveis com esses insensatos discutidores, agindo de maneira irretocável, não cedendo espaço para o mal que neles domina, traduzido no seu desalinho emocional.

A não neutralidade não implica uma atitude de conflagração, mas de paz interior ante a luta.

O incêndio se apaga, quando lhe falta combustível.

Não forneças elementos aos servos da loucura para que aumentem o disparate.

Com seriedade e trabalho, oração e amor, vencê-los-ás.

★

Estes são os graves dias que definirão o futuro da Humanidade e do planeta terrestre.

Renasceste neste período, a fim de desfazeres o mal que semeaste no passado.

A encarniçada batalha ceifa ideais, sentimentos dilaceram-se, esperanças fragilizam-se, vidas estiolam-se por falta de segurança.

Arrima-te em Jesus e segue-Lhe o exemplo.

Ele enfrentou essa mesma conflagração, que jamais O atemorizou, dela saindo vitorioso, embora plantado numa cruz, mas de braços abertos em atitude de quem espera para afagar, perdoando a todos e ressuscitando depois, nimbado de paz e de amor.

9
COM SERIEDADE

467. Pode o homem eximir-se da influência dos Espíritos que procuram arrastá-lo ao mal?

"Pode, visto que tais Espíritos só se apegam aos que, pelos seus desejos, os chamam, ou aos que, pelos seus pensamentos, os atraem."

Vês avolumar-se a avalanche dos crimes, e estremeces de horror, imaginando como enfrentá-la utilizando apenas as armas do amor e da compaixão.

Constatas a fragilidade das conquistas éticas, da cultura e da civilização ante a enxurrada colossal da depravação e da desordem que fazem desmoronar os alicerces dos deveres e das responsabilidades morais.

Assustas-te com os alarmantes índices de crueldade e de sadismo que caracterizam os crimes hediondos, reconduzindo o ser humano ao barbarismo, e não sabes como evitar o caos ou impedir-lhe o avanço.

Os noticiários da mídia são aterradores, confraternizando com os entretenimentos igualmente brutalizados, levando legiões humanas às experiências de emoções controvertidas, e não encontras uma forma imediata para superar a ingrata injunção.

Para onde olhas, detectas o pandemônio em que se confundem os prazeres exorbitantes com as tragédias estarrecedoras, e te dás conta da imensa dificuldade para prosseguires em clima de paz.

As expressões da fé religiosa, seguindo a linha do esdrúxulo comportamento atual, fazem-se igualmente ruidosas, peculiares, utilizando-se dos mesmos extravagantes instrumentos que levam ao excesso, enquanto minguam a unção espiritual e a renovação moral dos crentes.

Os sons estridentes das festividades e a gritaria infrene dos alucinados, substituem o silêncio da oração e da contrição, que cedem lugar aos ritmos que embalam o corpo em vãs tentativas de produzirem o êxtase...

Sucede que, nos dias tormentosos e bulhentos da atualidade, uma obsessão coletiva se abate sobre a sociedade que estertora sob o guante de guerras, de genocídios, de subornos à dignidade, de vícios, ante o beneplácito das leis e das autoridades de destaque nos cenários do mundo, algumas delas mergulhadas no mesmo insólito mar de degradação.

Este é um momento grave na historiografia da Humanidade.

★

As concepções mitológicas sobre as *Forças do mal* são pálidas representações da realidade espiritual desse porte.

Volumosa mole de Espíritos desvestidos da matéria, em fase primitiva da evolução, circunda o planeta terrestre antes da seleção natural que se vem operando, gerando conflitos, disseminando o horror.

Afeitos à brutalidade e sem o claro discernimento, fixam-se nas paixões que os animalizam, produzindo intercâmbios nefastos com as criaturas humanas que se lhes assemelham.

Investem contra todos os valores morais edificantes e aqueles que os amam, buscando preservá-los. Por consequência, detestam-te, perseguem-te também.

Na raiz de muitas ocorrências infelizes que te aturdem, encontram-se atuantes e responsáveis esses algozes da sociedade.

Em face do impositivo da *Lei de Causa e Efeito,* eles se transformam em instrumentos da Vida num processo de depuração do planeta e dos seres humanos reencarnados.

Estimulados pelas faculdades vis, nas quais se encontram, o seu ódio é cáustico e a sua perversidade é ilimitada.

Não sintonizes com eles.

Se os sofres, ora mais, tem mais paciência, dialoga com eles mentalmente, apresentando a tua óptica a respeito da vida e dos seus valores.

Não te enfureças contra eles nem contra ninguém.

Somente uma atitude de paz resiste à pertinácia deles, e apenas a não resistência desmonta-lhes as armas da agressividade.

As ações de nobreza que realizes, dar-te-ão estrutura espiritual para que não te vençam.

Com seriedade, medita em torno destes tumultuados dias que vives.

Guardadas as proporções, nos dias em que Jesus veio ter conosco na Terra os acontecimentos eram semelhantes.

Naquela ocasião, igualmente uma obsessão coletiva sacudiu o planeta, atingindo a sua culminância na crucificação d'Ele.

Logo depois, com a Sua ressurreição, começou o período de recuperação moral, quando a terapia do amor e da caridade tomou os Seus seguidores para poderem enfrentar os remanescentes perversos que prosseguiram na sanha de perseguição odienta.

Hoje, sob a égide do Mestre, enfrenta o mal e faze o bem, porfiando no dever e seguindo em paz, pagando com júbilos o alto ônus da tua confiança incondicional em Deus.

10
SOCORRO ADEQUADO

486. *Interessam-se os Espíritos pelas nossas desgraças e por nossa prosperidade? Afligem-se os que nos querem bem com os males que padecemos durante a vida?*

"Os bons Espíritos fazem todo o bem que lhes é possível e se sentem ditosos com as vossas alegrias. Afligem-se com os vossos males, quando os não suportais com resignação, porque nenhum benefício então tirais deles, assemelhando-vos, em tais casos, ao doente que rejeita a beberagem amarga que o há de curar."

O intercâmbio de mentes, emoções e aspirações é Lei da Vida. Conforme o padrão vibratório, cada onda emitida encontra ressonância em campo equivalente, estabelecendo-se a sintonia ou identificação.

Em razão disso, cada ser humano respira o clima espiritual onde situa os anseios do sentimento e as metas da inteligência.

Procedente de Deus e a Ele atraído pelo processo da evolução irrefragável, desenvolve todos os valores que lhe dormem em gérmen, ampliando o campo da consciência à medida que se desembaraça do primarismo por onde transita durante o largo período que o conduz à razão.

Durante essa trajetória, aqueles que alcançaram os patamares mais elevados mantêm grande carinho pelos viajantes da retaguarda, oferecendo-lhes apoio e segurança, a fim de que a sua trajetória seja assinalada por menos revezes e aflições que podem ser convertidos em bênçãos, qual ocorre com diversas terapêuticas administradas para determinadas enfermidades. Algumas são portadoras de paladar amargo ou de mal-estar incoercível, e produzem outras reações que se fazem necessárias para a erradicação do mal que se encontra instalado no âmago do ser.

Em decorrência, esses amigos espirituais se transformam em verdadeiros guias, cuidadosos e austeros, que não se compadecem das dubiedades e incertezas dos seus pupilos, oferecendo-lhes diretrizes de segurança para que se evitem compromissos perturbadores e sofrimentos evitáveis, desde que seguindo a segura trilha que devem percorrer.

Desse modo, preocupam-se com os diversos processos de comprometimento negativo, inspirando conduta reta e oferecendo apoio, que se convertem em equilíbrio para que se possa bem discernir o comportamento a adotar.

Em face das conquistas que os assinalam, despertam para os sentimentos de amor e de caridade, roteiros seguros que sempre conduzem à finalidade superior, evitando-lhes as quedas calamitosas nos abismos do egoísmo, do materialismo e da crueldade.

Vivenciando o amor, tornam-se exemplos para os seus conduzidos, socorrendo-os, quando as dificuldades se lhes tornam maiores, jamais adotando conduta paternalista e salvadora de ocasião sem o esforço de quem se deve empenhar até o sacrifício, se necessário, para conquistar novos e felizes patamares.

★

Compadecem-se, sim, os bons Espíritos ante os infortúnios e desaires que aturdem as criaturas sob a sua inspiração, especialmente quando são incapazes de compreender os benefícios que advirão dessas ocorrências que as plenificarão mais tarde, quando estejam superadas as provações a que se encontram submetidas.

Porque já transitaram pelos mesmos lugares, dão-se conta das dores que inevitavelmente assomam, quando os seus afilhados são surpreendidos por tais eventos, mediante os quais, e somente através deles, se enriquecerão de equilíbrio para a felicidade futura.

Essa compaixão, no entanto, é rica de ternura e de estímulos, emulando-os à luta, de forma que sejam superados os inconvenientes e adquiridas as experiências que impulsionam ao progresso e à constante renovação.

Nem sempre esse espírito de compaixão se apresenta como solucionador dos desafios necessários, o que, se assim fosse, candidataria o aprendiz ao estacionamento, à falta de aquisição de recursos para a autorrenovação, para a autoiluminação imprescindíveis no trânsito de crescimento para Deus.

Trata-se de uma compaixão solidária, mediante a qual ambos participam do mesmo processo de conquista do conhecimento espiritual em relação à vida e ao desabrochar dos incomparáveis tesouros que se lhes encontram adormecidos, necessitando dos fatores próprios para o seu desenvolvimento.

A caminhada terrestre seria muito árida não fossem esses valiosos contributos de misericórdia e de sabedoria, através dos quais a vida se torna cada vez mais enriquecida de oportunidades de crescimento e de esperança.

O ser, emulado ao avanço, por meio da sabedoria daqueles que já percorreram as mesmas trilhas e alcançaram patamares superiores, sente-se convidado a não desanimar jamais, avançando com alegria e compreendendo que, somente pelos desafios, faz-se possível atingir os objetivos essenciais da existência terrena.

★

Quando bem compreendidos as desgraças terrestres, os infortúnios, os testemunhos, mais se faz digna de vivenciada a viagem evolutiva, porque os alicerces do processo se tornam vigorosos, quais a *casa construída na rocha*, que suporta os vendavais e as calamidades que lhe desabam ameaçadoramente, permanecendo resistente a todos os clamores das tempestades.

Não impedem, porém, esses bondosos Espíritos, a ocorrência dos fenômenos que propiciam robustecimento das resistências morais. Antes agradecem a Deus que eles surjam, porque disso advirão incomparáveis benefícios para os seus pupilos, que igualmente adquirirão sabedoria ante os insucessos aparentes, aprendendo para sempre as lições de amor com que o Pai a todos brinda, oferecendo-lhes o mesmo recurso de crescimento interior.

Em quaisquer circunstâncias, as mais amargas e cruéis que se atravessem, Deus vela pelos Seus filhos, e os Seus mensageiros sempre se encontram ao lado deles, auxiliando-os pela inspiração e pelo apoio a encontrarem o rumo certo mediante socorro adequado que sabem oferecer no momento azado.

11
NUNCA A SÓS

491. Qual a missão do Espírito protetor?

"A de um pai com relação aos filhos; a de guiar o seu protegido pela senda do bem, auxiliá-lo com seus conselhos, consolá-lo nas suas aflições, levantar-lhe o ânimo nas provas da vida."

Não poucas vezes, no turbilhão da vida moderna, qual aconteceu na monotonia dos dias transatos, a criatura humana tem a impressão de que se encontra a sós, lutando contra a correnteza dos acontecimentos, que a leva inapelavelmente na direção do abismo.

Falta de estímulo para continuar na faina pela conquista do pão, desinteresse por si mesma, sofrimento interior sem aparente explicação, ausência de compreensão dos amigos, frustração ante as ocorrências que esperava lhe fossem favorecer com plenitude ou paz, tormentos íntimos perturbadores são fenômenos do dia a dia na agenda de incontáveis criaturas que se sentem desamparadas e solitárias...

A ausência de uma fé religiosa robusta que possa apontar o rumo da imortalidade abre espaço para comportamentos inquietadores, empurrando para a depressão e para a revolta surda, silenciosa.

As aspirações materialistas, trabalhadas pelos conceitos de felicidade sem jaça e de harmonia sem desafios, transformam-se em desencanto, gerando cepticismo a respeito de qualquer conquista que possa equacionar esses transtornos, submetendo-a ao açodar de ressentimentos da existência e das pessoas à sua volta.

Enquanto o vozerio do prazer enganoso e a gargalhada estentórica da alucinação no gozo imediatista dominam as paisagens humanas, convidando ao afogamento dos conflitos no mar tumultuado da embriaguez dos sentidos, mais aflição desencadeia em quem se encontra em angústia por ausência de objetivo existencial.

Sucede que o homem da atualidade, após as conquistas externas que persegue, não se preocupou quanto deveria pela autopenetração nos valores que se lhe encontram ínsitos, desenvolvendo-os e harmonizando-os com as aquisições de fora. Priorizou demasiadamente a face material em detrimento da realidade espiritual, agonizando, agora, nos favores do poder e do prazer, sem preencher-se de paz, porquanto lhe ocorrem saturação e cansaço, enquanto permanece com sede de realização íntima e de maior contato com a vida em si mesma.

Confundindo a transitoriedade do corpo com a eternidade do Espírito, desfruta das sensações e das emoções do primarismo orgânico, sem as correspondentes expressões da emotividade superior.

A arte, a cultura, a tecnologia, o pensamento filosófico, vinculados ao impositivo de oferecer respostas imediatas, perdem em beleza o que adquirem em agressividade, expressando o momento moral do planeta, conduzindo à excitação e logo depois à exaustão, sem contribuírem com beleza, esperança, alegria nem paz.

Não se trata de uma observação pessimista, mas de uma constatação de resultados, contabilizando-se a hediondez do crime e da violência que se multiplica em toda parte, em prejuízo da cultura e da civilização.

★

No passado, quando a Humanidade estorcegava sob a chibata do Império Romano, que dominava praticamente o mundo, e o abuso do poder aliado à desgovernança moral dos indivíduos fomentavam o sofrimento de milhões de outros, veio Jesus, que inaugurou a Era da esperança, prometendo jamais deixar a sós quem quer que n'Ele confiasse ou que se entregasse a Deus.

A partir de então, ninguém mais ficou em solidão.

Maria, a pecadora arrependida, que se Lhe dedicou, experimentou vicissitudes diversas, mas nunca ficou ao desamparo.

Pedro, reconhecendo a loucura momentânea da negação, prosseguiu sem desânimo e jamais deixou de receber-Lhe a presença.

Saulo, tocado pela Sua misericórdia, transformou-se, tornando-se-Lhe arauto incomparável, que O levou a quase todo o mundo do seu tempo.

João, que Lhe permaneceu fiel, prosseguiu amparado, e narrou-Lhe a saga incomparável, visitado pelo Seu psiquismo afável e inspirador.

Mais tarde, Agostinho, travando contato com o Seu pensamento, renovou-se e fez-se piloti de segurança da Sua mensagem.

Francisco Bernardone, fascinando-se pelo Seu convite, experimentou padecimentos incessantes, nunca, porém, a sós...

Terezinha de Lisieux, tocada pela Sua palavra, dedicou-Lhe a rápida juventude, experimentando o Seu apoio.

Teresa de Calcutá, em Sua homenagem, tomou a cruz dos sofrimentos humanos e carregou-a nos ombros frágeis até o fim da existência, sentindo-Lhe a força revigorante.

(...) E milhares de outros exemplos, que se Lhe vincularam, conseguiram enfrentar todas as vicissitudes, sem perder o entusiasmo ou jamais recear com a Sua companhia.

Experimenta, por tua vez, identificar-te com Jesus, penetrar-Lhe os ensinamentos, reflexionar neles, assimilá-los, aplicando-os ao comportamento, e verificarás que uma transformação vigorosa se operará em teu ser interior, propiciando-te coragem e valor para prosseguires sem qualquer desânimo ou perturbação.

E quando te advierem as lutas e os testemunhos, que são inevitáveis na economia espiritual de todos os seres que rumam na direção do Infinito, e que não te pouparão, n'Ele encontrarás amparo e estímulo para o prosseguimento com incomum alegria, que caracteriza todo aquele que se encontra viajando na direção do Grande Lar, e espera o momento da chegada feliz.

Desse modo, não fujas do mundo nem te atires a ele, buscando soluções que nessa conduta não encontrarás.

Reconsidera, portanto, as tuas atuais atitudes e experimenta renovação com Jesus, facultando-te uma nova oportunidade para enriquecer-te de alegria de viver e poderes expandir o teu pensamento e as tuas realizações.

Em nome d'Ele, Espíritos nobres se te associam na empresa evolutiva, trabalhando pelo teu progresso, auxiliando-te nas dificuldades e animando-te na luta. São os teus Guias espirituais e Espíritos protetores.

★

Quem O visse na cruz, naquela tarde funesta e tenebrosa, entre dois ladrões e sob a zombaria dos trêfegos e aturdidos do mundo, pensaria que estava diante de um vencido e abandonado, que a morte logo iria colher. No entanto, Ele estava em vinculação estreita com Deus, muito além das percepções humanas, cercado por legiões de cooperadores espirituais do Seu *reino*, preparando-se para a libertação, a fim de logo mais retornar em gloriosa ressurreição, demonstrando a Sua e a imortalidade de todas as criaturas.

Desse modo, quando te sintas em abandono, aparentemente desamparado e sem amigos, sob sofrimentos e angústias, pensa em Jesus, e jamais experimentarás solidão.

12
ACASOS FELIZES

"(...) *Assim é que, provocando, por exemplo, o encontro de duas pessoas, que suporão encontrar-se por acaso; inspirando a alguém a ideia de passar por determinado lugar; chamando-lhe a atenção para certo ponto, se disso resulta o que tenham em vista, eles obram de tal maneira que o homem, crente de que obedece a um impulso próprio, conserva sempre o seu livre-arbítrio.*"

(Comentários de Allan Kardec à resposta da questão nº 525-a.)

O*s milagres do amor de Deus* acontecem amiúde, sem que as criaturas se deem conta da sua ocorrência abençoada.

Invariavelmente se pensa que deveriam dar-se através de fenômenos grandiosos e eloquentes, quais, no passado, o Seu simbólico aparecimento na *sarça ardente* a Moisés ou na *separação das águas do mar Vermelho* para que os hebreus se evadissem do Egito no rumo da *Terra da promissão*, ou ainda no mítico arrebatamento de *Elias no carro de fogo*, de que necessitam as imaginações psicologicamente infantis para se deixarem impressionar e serem arrastadas pelo sobrenatural.

Através da História a ocorrência dos *milagres* não passou de desconhecimento das leis naturais até então não penetradas, o que os fazia parecer como maravilhosos e perturbadores, que somente poderiam provir de Deus, caso tudo d'Ele não viesse.

No que diz respeito aos Espíritos, pelo mesmo atavismo são transferidas as fantasias emocionais, desejando-se que as suas interferências se façam, de tal modo fantásticas, que produzam arrastamentos entusiasmados, dando lugar à exorbitância da vaidade e da presunção, muito do agrado dos utopistas.

As divinas leis funcionam em igualdade de condições para com todas as criaturas, nos mais diferentes estágios de evolução. O que diferencia a sua identificação é a capacidade de cada qual poder distinguir entre o que é fenômeno natural e interferência do mundo espiritual, auxiliando aqueles que conseguem aperceber-se dessa realidade e concedendo-lhes mais amplo campo de observação e entendimento.

Nada obstante, desde os fenômenos mais simples aos mais complexos em a Natureza, a interferência dos Espíritos faz-se natural e constante, expressando o Amor do Pai Generoso para com a Sua Criação.

Da mesma maneira, no campo das percepções humanas, têm lugar esse intercâmbio e interferência muito constantes, que constituem verdadeiros *milagres*, em razão do desconhecimento dos mecanismos que foram movimentados, a fim de que o acontecimento sucedesse naquele momento e em tais circunstâncias.

Não raro, esses *milagres* são resultados da manipulação das leis naturais com muita sabedoria e oportunidade, de forma que ocorram com propriedade e no momento exato.

Podem tratar-se de bênçãos ou de testemunhos, conforme o estágio evolutivo em que o ser humano se encontre e a necessidade que tenha em razão da sintonia espiritual com o mundo das causas.

★

Têm-se procurado denominar esses admiráveis fenômenos da vida como *casualidade, ocorrência fortuita, sincronicidade, coincidência, destino*, e até mesmo *milagre*.

Como não existem violências contra as Leis universais, nem privilégios para uns indivíduos em detrimento dos outros, quem ora e procura situar-se em equilíbrio direciona ondas mentais que alcançam as Regiões felizes da Espiritualidade, despertando amor e interesse dos Guias espirituais, que acorrem pressurosos para auxiliá-lo. Assim, promovem encontros inesperados, inspirando um e outro a tomarem o mesmo caminho, de forma que se defrontarão em determinado lugar, *casualmente*, embora hajam sido telementalizados na escolha do roteiro.

Noutras vezes, determinada aspiração ou necessidade que se apresente improvável, porque a mente se encontra em sintonia com o mundo transcendente, é inspirado a tomar tal ou qual decisão que terminará por solucionar o desejo.

Repetidamente, pequenas ocorrências dão-se com naturalidade, propiciando encantamento e ventura, que enriquecem de esperança e de gratidão aquele que é eleito.

Da mesma maneira, certas situações embaraçosas e desafiadoras têm lugar quando provocadas por Entidades perversas, que se utilizam da negligência espiritual e invigilância daqueles que são tidos como desafetos para bem os afligir.

Ocorrem, na mesma ordem, acontecimentos danosos e encontros infelizes que desencadeiam episódios de tristes consequências, ferindo todos quantos são envolvidos ou gerando-lhes situações muito embaraçosas.

Quantas tragédias poderiam ser evitadas, se as criaturas se equipassem dos recursos da oração e da compaixão, desenvolvendo campos psíquicos de harmonia interior, a fim de serem melhormente inspiradas e conduzidas, permitindo que ocorram esses *milagres* de amor no transcurso das suas existências!

★

Na sua carta aos hebreus, capítulo doze, versículo um, o Apóstolo dos gentios adverte-nos quanto *a uma nuvem de testemunhas que nos rodeiam*, convidando-nos a reflexões e a equilíbrio, porquanto são de variada espécie aqueles que a constituem.

Se o indivíduo pensa no bem e atua de acordo com a legislação superior, as suas são as testemunhas do amor e da paz, que o cercam de carinho e o auxiliam na escalada ascensional. No entanto, se é de uma conduta reprochável, assinalada por distúrbios de qualquer ordem, as suas são *testemunhas* de acusação e de zombaria, que o escarnecem e desconsideram desde já, mesmo que mantendo diferente aparência da realidade que lhe é a tônica existencial.

Dessa forma, aprende a identificar os *milagres de amor* que te sucedem a cada instante, procurando ascender por meio deles, passo a passo que seja, na escada evolutiva, deixando sinais luminosos pela senda percorrida, a fim de auxiliares aqueloutros que ainda não conseguem distingui-los para melhor beneficiar-se.

13 PRESSENTIMENTO

522. O pressentimento é sempre um aviso do Espírito protetor?

"É o conselho íntimo e oculto de um Espírito que vos quer bem. Também está na intuição da escolha que se haja feito. É a voz do instinto. Antes de encarnar, tem o Espírito conhecimento das fases principais de sua existência, isto é, do gênero das provas a que se submete. Tendo estas caráter assinalado, ele conserva, no seu foro íntimo, uma espécie de impressão de tais provas e esta impressão, que é a voz do instinto, fazendo-se ouvir quando lhe chega o momento de sofrê-las, se torna pressentimento."

Ninguém avança pela estrada do progresso espiritual sem o auxílio da Divindade, por intermédio dos nobres Espíritos que se transformaram em Guias da Humanidade.

São eles que executam a programação estabelecida, emulando aqueles que se encontram incursos no processo de crescimento a alcançarem a meta para a qual se reencarnaram.

Operosos servidores do Bem estão sempre próximos de todos aqueles que lhes rogam auxílio ou que, através da oração e dos pensamentos elevados, sintonizam com as suas presenças, experimentando o doce enlevo que deles dimana e a condução psíquica que transmitem com carinho e paciência.

Conhecedores de algumas ocorrências que estão delineadas nas existências dos seus pupilos e dos desafios que eles devem vivenciar, inspiram-nos ou guiam-nos pela senda mais apropriada para o sucesso, ou advertem-nos dos perigos iminentes que os espreitam, de forma que possam alterar o passo e alcançar os objetivos salutares.

Através dessa inspiração e presença psíquica é que ocorre o denominado pressentimento, que é uma eficaz maneira para a criatura parar e reflexionar em torno do que deve realizar e de como conduzir-se, a fim de não soçobrar no empreendimento iluminativo, contornando as dificuldades e avançando sem receio pela trilha do progresso.

Caso, no entanto, seja reprochável a conduta do indivíduo ou se faça caracterizada pela rebeldia sistemática, pelos conflitos nos quais se compraz, os pressentimentos se apresentam com manifestação maléfica, propostos pelos acompanhamentos espirituais que se lhe tornam constantes, em razão do tipo de opção mental e comportamental a que se entrega.

Os Espíritos que o assessoram atormentam-no com ideias falsas umas e mirabolantes outras, a fim de mais o iludirem e fixarem-no nas suas redes mentais perversas, de difícil libertação.

Comensais dos seus propósitos íntimos enfermiços, são hábeis na técnica de transmitir ideias deprimentes e portadoras de conteúdos perturbadores que o atormentam e mais pioram o seu humor e estado emocional.

Algumas vezes, quando assistido pelas Entidades veneráveis, pela falta de hábito de assimilar-lhes as ideias, recusa-as, retornando às mesmas paisagens mentais deletérias em que se homizia.

Os pressentimentos, desse modo, merecem análise clara e tranquila, a fim de que se possa avaliar o de que se constituem e qual a mensagem de advertência e socorro de que se fazem portadores.

★

Ressumam espontaneamente do inconsciente pessoal muitas recordações, que defluem da programação a que o Espírito está vinculado e que assumiu antes da reencarnação, como eficiente maneira de conduzir-se com equilíbrio, evitando situações embaraçosas ou tropeços nos mesmos erros em que tombaram anteriormente.

Alguns desses pressentimentos, que são efeitos de ações já realizadas, informam sobre necessidades que deverão ser experimentadas e compromissos que foram firmados antes do renascimento, que se encontram adormecidos e agora ressurgem com o propósito de alertamento, porque, de alguma forma, encontram-se estabelecidos para novamente acontecerem, auxiliando o equivocado na própria reeducação.

São, portanto, do próprio Espírito reencarnado algumas ideias que volvem à tela mental como *intuição* de advertência, proporcionando recordação espontânea do passado, que se torna bênção enriquecedora.

Ainda ocorre que, em face da condição espiritual do ser humano, o seu psiquismo pode adentrar-se pelo futuro e captar ocorrências que se estão aproximando no tempo e logo se manifestarão como realidade.

Esses registros são permitidos porque têm por finalidade contribuir em favor da melhor compreensão humana em torno do que se convencionou denominar fatalidade ou desdita, felicidade ou sucesso adrede estabelecidos...

Sendo uma existência planetária consequência natural da que lhe é anterior, e muitas vezes de outras mais recuadas, os eventos da vida se encontram mais ou menos delineados conforme as estruturas sobre as quais se apoiam, facilitando-lhes a captação antecipada por se encontrarem na pauta do processo da evolução.

Os pressentimentos constituem fenômenos psíquicos, parapsíquicos e mediúnicos que contribuem de forma útil para a existência feliz.

Quando negativos ou ameaçadores, devem predispor à oração e ao envolvimento nos pensamentos superiores, a fim de que as conquistas atuais constituam *crédito moral* mediante o qual podem ser modificados os planos existenciais.

As Soberanas Leis não executam corretivos punitivos em relação às criaturas, mas se expressam com finalidade educativa ou reeducativa, convidando à reflexão e ao aprendizado em torno dos deveres para com a Vida, e que não podem ser ignorados ou tomados com leviandade.

Desse modo, a toda ação positiva corresponde uma mudança na contabilidade espiritual que diz respeito às atitudes e realizações prejudiciais, perturbadoras, que necessitam ser reparadas.

O amor é possuidor do élan poderoso que anula o mal e, qual a luz, esbate toda a sombra ameaçadora.

★

Mantendo-se o ser em comunhão com as Fontes Excelsas, delas recebe, por pressentimentos, notícias das ocorrências que terão lugar no amanhã, preparando-se para melhor enfrentá-las e bem conduzi-las.

Quando se trata de desafios pelo sofrimento, mais fáceis esses se apresentam, em razão da disposição de superá-los, prosseguindo no rumo da felicidade.

Quando se expressam beneficiosos, favorecem melhor capacidade para a sua instalação no mundo íntimo, retirando-se os resultados superiores da futura ocorrência.

Apurando-se a capacidade e a autopenetração interior e de sintonia com os Espíritos Guias, mui facilmente os pressentimentos podem ser registrados e direcionados de forma saudável e proveitosa.

14
BÊNÇÃOS E MALDIÇÕES

557. Podem a bênção e a maldição atrair o bem e o mal para aquele sobre quem são lançadas?

"(...) Demais, o que é comum é serem amaldiçoados os maus e abençoados os bons. (...)"

A Justiça Divina estabelece que cada criatura colhe os resultados da ensementação que realiza. Ninguém transita sob injunções de ocorrências não programadas ou sob o efeito de forças desgovernadas que o podem atingir, conduzindo-o à felicidade a que não faça jus ou a algum sofrimento que não tenha razão de ser.

Na condição de construtor do próprio futuro, o Espírito projeta mentalmente e realiza mediante ações tudo quanto lhe é compatível e de preferência, defrontando mais tarde com os resultados desse comportamento.

É sempre abençoado aquele que sintoniza e cumpre com os deveres que lhe dizem respeito, nos quais haure alegria e paz.

Encontra-se amaldiçoado, isto é, infeliz, aqueloutro que somente se compraz no que atormenta e envilece, ou que se beneficia do esforço alheio sem procurar corresponder dignamente, mediante os recursos que se lhe encontram ao alcance.

Não serão as pragas nem as oblatas emocionais que modificarão o destino da criatura humana.

Quando não se é credor de uma como de outra concessão, ninguém que as queira direcionar, especialmente com propósitos malévolos, poderá conseguir alvejar aquele a quem são encaminhadas.

As superstições e mitos estabeleceram que indivíduos de má índole têm o poder de amaldiçoar animais e pessoas contra os quais dirigem as suas vibrações de ira e ódio, inveja e ciúme, ou que são remunerados para esse mister infeliz. Outrossim, afirmaram que aqueles que se supõem santificados ou que se apresentam como tal podem oferecer bênçãos e perdão para as ofensas praticadas, privilegiando aqueles que pretendem auxiliar.

A Divindade, de forma alguma, sujeita-se aos caprichos humanos, alterando as existências conforme os impositivos apaixonados dos seres da Terra.

Invariavelmente, quem se comporta de maneira equivocada e prefere a convivência física, emocional e psíquica de outrem do mesmo nível inferior, mantém-se em situação deplorável, assinalado por infortúnios e insucessos, que são verdadeiras maldições. Enquanto que todo aquele que opta por uma conduta exemplar e se movimenta entre pessoas de boa índole, afeiçoadas ao serviço do bem, vivencia harmonia e saúde, felicidade e alegria de viver, que são as inefáveis bênçãos que lhe chegam como consequência da conduta que se permite, muitas vezes com sacrifícios.

As bocas, porém, que amaldiçoam e que abençoam, firmadas em propósitos servis ou que decorrem de posições a que atribuem destaque e superioridade, não possuem a correspondente carga de poder para atingir os propósitos que lhes são atribuídos.

★

O mundo de energia é o real, no qual ondas, vibrações e campos de força constituem-no e fazem-no vibrar.

Sem dúvida, qualquer vibração deletéria ou santificante que é direcionada para alguém, realiza a sua viagem e, se encontra campo de ressonância equivalente, aumenta-lhe a carga existente por assimilação. Isto é, aqueles que se encontram em condições de sintonizar com as ondas mentais que campeiam em toda parte, direcionadas por outrem ou não, captam-nas, delas mais se enriquecendo por meio dos mecanismos de identidade energética.

Assim, cargas do ódio e da antipatia, bem como as de ternura e de bem-estar, de oração e de harmonia, alcançam aqueles aos quais são enviadas, em razão da identificação da energia em que se movimentam.

O correto, entretanto, é cada qual emitir as melhores vibrações de esperança, envolvendo-se nas energias do bem e do amor, procurando vivenciar os sentimentos elevados que o alçam a patamares mais nobres da existência, onde se torna mais fácil haurir forças para prosseguir nas atividades a que se encontra vinculado.

O amor, pelas suas incomuns possibilidades, emite ondas de sucesso e de saúde, de fraternidade e de alegria que alcançam todos aqueles em favor dos quais é enviado.

Nesse sentido, a oração intercessória é portadora de incomparável poder vibratório que penetra o ser objetivado, enquanto vitaliza o dínamo emissor, estabelecendo uma comunhão específica de vibrações que sustentam a vida e renovam a capacidade interior para o crescimento indispensável e a consequente conquista da paz.

Quando alguém ama, potencializa-se de vigor espiritual e, cultivando a oração, que é concentração de energia criadora, consegue distribuí-la em alta potência, que sempre realiza o seu mister.

Dessa forma, aqueles que se comprazem em enviar *pragas* e blasfemam contra a vida, explodindo em vociferações de ódio destrutivo contra quem os desagrada ou se lhes torna vítima por qualquer circunstância, de maneira alguma conseguem os resultados almejados. Normalmente essa força desarvorada retorna ao fulcro de onde se origina, constituindo maior desequilíbrio na área ou na pessoa em quem se origina. Trata-se do denominado *choque de retorno*, que é o efeito bumerangue. Não havendo atingido o alvo, faz a volta na direção do centro gerador.

★

Bênçãos e maldições constituem campo estéril para a realização de planos felizes ou nefastos, caso não haja correspondentes áreas de sintonia e equivalência.

Quando uma pessoa se afeiçoa aos pensamentos perturbadores e se agrada em enviá-los em todas as direções, jamais consegue os objetivos infelizes que acalenta. Não obstante, quando se trata de ideias elevadas e carregadas de ternura, de compaixão, de desejo de progresso para si mesma ou para outrem, os resultados se tornam factíveis, porque a força mais poderosa do Universo é a do amor, facilmente assimilável e multiplicável.

Cabe, em decorrência, ao ser humano crescer em sentimento e conhecimento, entesourando sabedoria, para transformar-se em campo de vibrações edificantes e libertadoras, assim contribuindo em favor do progresso da Humanidade em geral, livre das angustiantes e inócuas maldições que, periodicamente, Espíritos enfermos lhe impõem, praguejando inconsequentes, sem os resultados que desejam...

15
NATAL DE AMOR

625. Qual o tipo mais perfeito que Deus tem oferecido ao homem, para lhe servir de guia e modelo?

"Jesus."

Jesus transcende tudo quanto a Humanidade jamais conheceu e estudou.

Personalidade singular, tem sido objeto de aprofundadas pesquisas através dos tempos, permanecendo, no entanto, muito ignorado.

Amado por uns e detestado por outros, conseguiu cindir o pensamento histórico, estabelecendo parâmetros de felicidade dantes jamais sonhados, que passaram a constituir metas desafiadoras para centenas de milhões de vidas.

Podendo ter disputado honrarias e destaques na comunidade do Seu tempo, elegeu uma gruta obscura para iluminá-la com o Seu berço de palha e uma cruz detestada para despedir-se do convívio com as criaturas em Sua breve existência, na qual alterou totalmente as paisagens culturais do planeta.

Vivendo pobremente, em uma cidade sem qualquer significado social ou econômico, demonstrou que a inteligência e a sabedoria promanam do Espírito, e não dos fatores hereditários, ambientais, educacionais, que podem contribuir para o seu desdobramento, nunca, porém, para a sua gênese.

Movimentando-se entre multidões sequiosas de orientação, numa época de inconcebíveis preconceitos de todo gênero, elegeu sempre os indivíduos mais detestados, combatidos, perseguidos, excluídos, sem que abandonasse aqueles que se encontravam em patamares mais elevados na ribalta dos valores terrestres.

Portador de incomum conhecimento da vida e das necessidades humanas, falava pouco, de forma que todos Lhe apreendessem os ensinamentos e os incorporassem ao cotidiano, sem preocupar-se com os formalismos existentes.

Utilizando-se de linguagem simples e de formosas imagens que eram parte do dia a dia de todas as criaturas, compôs incomparáveis sinfonias ricas de esperanças e de bênçãos, que prosseguem embalando o pensamento após quase dois mil anos desde quando foram apresentadas.

Nunca se permitiu uma conduta verbal e outra comportamental diferenciadas. Todos os Seus ditos encontram-se confirmados pelos Seus feitos.

Compartilhando da companhia dos párias, não se fez miserável; atendendo aos revoltados, nunca se permitiu rebelião; participando das dores gerais, manteve-se em saudável bem-estar que a todos contagiava.

Jovial e alegre, cantava os Seus hinos à vida e a Deus, sem nunca extravasar em gritaria, descompasso moral ou vulgaridade de conduta.

Amando, sem cessar, preservou o respeito por todos os seres vivos, especialmente dignificando a mulher, que sempre foi exprobrada, incompreendida, explorada, perseguida, humilhada...

Ergueu os combalidos, sem maldizer aqueles que os abandonavam.

Socorreu os infelizes, jamais condenando os responsáveis pelas misérias sociais e econômicas do Seu tempo.

(...) E mesmo quando abandonado, escarnecido, julgado e condenado sem culpa, manteve a dignidade incomparável que Lhe assinalava a existência, não repartindo com ninguém Suas dores e o holocausto a que se submeteu.

★

Jesus é mais do que um símbolo para a Humanidade de todos os tempos.

Mudaram as paisagens sociais e culturais no transcurso dos séculos, enquanto os indivíduos da atualidade continuam mais ou menos semelhantes àqueles do Seu tempo.

A dor prossegue jugulando ao seu eito as vidas que estorcegam em sua crueza; o orgulho enceguece vidas; o egoísmo predomina nos relacionamentos e interesses sociais; a violência dilacera as esperanças; o crime campeia à solta, e o ser humano parece descoroçoado, sem rumo.

Doutrinas salvacionistas surgem e desaparecem, propostas revolucionárias são apresentadas cada dia e sucumbem sob os camartelos dos desequilíbrios, filosofias multiplicam-se, e generaliza-se a loucura dizimando as vidas que lhe tombam nas armadilhas soezes...

Jesus, no entanto, permanece o mesmo, aguardando aqueles que O queiram seguir.

Uns adulteraram-Lhe as palavras, outros tentam atualizá-lO, mesclando Sua austeridade com a insensatez que vige em toda parte, procurando assim confundir a Sua alegria com a alucinação dos sentidos exaltados pelo sexo em desalinho, e, não obstante, nada macula Suas lições, nem diminui de intensidade a Sua proposta libertadora.

Educador por excelência, despertava o interesse dos Seus ouvintes, mantendo diálogos repassados de incomum habilidade psicológica, de forma a penetrar no âmago dos problemas existenciais, sem permitir-se reproche ou desdém.

Psicoterapeuta excepcional, identificava os conflitos sem que se fizesse necessária a verbalização por parte do enfermo, auxiliando-o a dignificar-se e liberar-se da injunção perturbadora em clima de verdadeira fraternidade.

Os poucos anos do Seu ministério, todavia, assinalaram a História com luzes que jamais se apagarão e continuarão apontando rumos para o futuro.

★

Por tudo isso, o Natal de Jesus é sempre renovador convite a uma releitura da Sua mensagem, a novas reflexões em torno das Suas palavras de luz, à revivescência dos Seus projetos de Amor para com a Humanidade.

A alegria que deve dominar aqueles que O amam, evocando o Seu berço, ao invés de ser estrídula e agitada, há de espraiar-se como contribuição para diminuir as aflições e modificar as estruturas carcomidas da sociedade atual, trabalhando-as de forma a propiciar felicidade, oportunidade de crescimento, de dignificação, de saúde e de educação para todas as pessoas.

Distende, portanto, em homenagem ao Seu nascimento, a tua quota de amor a todos quantos te busquem, de forma que eles compreendam a qualidade e o elevado padrão do teu relacionamento espiritual com Ele, interessando-se também por vincular-se a esse Amigo, modelo e guia de todas as horas.

Não desperdices a oportunidade de demonstrar que o Natal de Jesus é permanente compromisso de amor entre os Céus e a Terra por meio d'Ele, que se fez a ponte entre os homens e Deus, e que continua, vigilante e amigo, pronto para ajudar e conduzir todos aqueles que desejem a plenitude.

16
EXEMPLO ÚNICO

"Para o homem, Jesus constitui o tipo da perfeição moral a que a Humanidade pode aspirar na Terra. Deus no-lO oferece como o mais perfeito modelo, e a doutrina que ensinou é a expressão mais pura da Lei do Senhor, porque, sendo ele o mais puro de quantos têm aparecido na Terra, o Espírito Divino o animava."

(Comentários de Allan Kardec à resposta da questão nº 625.)

Ninguém que se equipare a Jesus: um ser incomparável!

Havendo atingido o estágio de *ser mais perfeito que Deus nos ofereceu para servir-nos de modelo e guia*, conforme os Embaixadores espirituais ao serem interrogados responderam ao nobre codificador do Espiritismo, nunca se eximiu de nos amar, vivenciando nossas dores e condição humana, de modo a constituir-nos o exemplo único de que se tem notícia.

Enquanto a Humanidade recebeu, através da História, guias admiráveis, como Krishna, Buda, Hermes, Pitágoras, Lutero, Allan Kardec e centenas de outros, Ele, que os enviou para manter acesa a chama da Verdade, é o modelo, porque jamais tergiversou ou se apresentou vivenciando qualquer tipo de dubiedade no ministério a que se entregou.

Desde os verdes anos da juventude, demonstrou a excelência da Sua procedência, enfrentando os doutos rabinos no Templo, em memorável diálogo, no qual expressou o Seu profundo conhecimento das Leis de Deus bem como daquelas que regiam Israel.

Iniciado o labor incomum para o qual viera, manteve a qualidade superior da conduta.

Profundo conhecedor da psicologia humana, todos os Seus ensinamentos se fundamentam no Amor em variados graus de expressão, de forma a abranger toda a sociedade daqueles e dos tempos porvindouros.

Em face dessa circunstância, a Sua tem sido a Doutrina de todos os tempos depois d'Ele, sempre atual e renovadora, rica de esperanças e consolações, mas também um desafio para ser vivido, a fim de que possa atingir a finalidade superior a que se destina.

Conhecendo a fatalidade que O aguardava, de forma que selasse com o exemplo no holocausto as palavras libertadoras, nunca se afligiu em relação ao futuro nem o precipitou, aguardando que os acontecimentos transcorressem de forma que tudo acontecesse conforme os desígnios de Deus e não da Sua vontade.

Foi o exemplo máximo da entrega ao Pai, sem impor de forma alguma os Seus desejos que, em última hipótese, eram a vontade do Genitor Divino.

Quantos Guias da Humanidade poderiam vir no Seu lugar, a fim de instalar o *Reino dos Céus* nas paisagens das mentes e dos corações que, certamente, lhes constituiriam bênção de inapreciável significado! Todavia, Ele não transferiu o testemunho para ninguém, aceitando-o por amor incondicional dirigido àqueles que constituímos o Seu rebanho de Pastor compassivo e misericordioso.

Jamais permitiu que, antes do testemunho na cruz, qualquer um dos Seus discípulos e seguidores sofresse perseguição, injustiça, crueldade por Ele.

Tomou a cruz nos ombros e conduziu-a até o momento extremo, liberando, a partir daí, aqueles que O amassem a fazerem o mesmo, caminho único para a conquista da plenitude.

Jesus é o Modelo e guia, sim, da Humanidade, sem o qual o homem estaria mais perdido no labirinto das paixões do que ora se encontra, por fruto da rebeldia e da insânia a que espontaneamente se entrega.

Toma-O como diretriz e nunca receies!

Sempre o mesmo em todas as ocasiões, atendeu as massas esfaimadas de luz e de paz, sem esquecer de brindar-lhes o alimento para o corpo no momento adequado.

Lúcido, envolveu em ternura as criancinhas, acenando-lhes com as esperanças do *reino*, não negando ao ladrão, que se sensibilizou com o Seu exemplo no momento terminal na Terra, a oportunidade de arrepender-se e recomeçar a marcha da sublimação.

Limpou as mazelas do corpo físico e libertou das amarras obsessivas aqueles que padeciam as injunções penosas dos vingadores espirituais com a mesma espontaneidade.

Homenageou o rico generoso, hospedando-se na sua casa, em desafio aos perseguidores contumazes, a fim de demonstrar que, embora coletor de impostos e chefe dos detestados publicanos, Zaqueu era homem nobre, credor de uma oportunidade para a conquista da autoiluminação.

Da mesma maneira, aceitou o convite de Simão, o *leproso*, para fazer refeição na sua casa, onde lecionou misericórdia em relação aos pecadores, quando a mulher equivocada e arrependida dos seus desatinos veio lavar-Lhe os pés com unguento especial, havendo sido censurada pelos presentes...

Amparou a mulher adúltera sem lhe condenar o deslize moral, admoestando-a quanto às responsabilidades para o futuro, desde que, a partir de então, conhecia a trilha do dever.

Conviveu com a família de Lázaro, em Betânia, sem imiscuir-se nos problemas do lar, e quando esse foi vítima de catalepsia, havendo sido considerado morto, Ele percebeu, a distância, que o amigo *dormia*, não hesitando em vir despertá-lo, o que provocou celeuma entre os fariseus e demais testemunhas...

Convidou Pedro, modesto pescador, e outros homens simples, para que desempenhassem papel de relevante importância no revolucionário movimento de fraternidade terrena, como outro nunca houve, sem que eles tivessem noção daquilo em que se envolviam. E eles, exceção feita a Judas, corresponderam a todas as expectativas, autossuperando-se e até imolando-se para serem dignos da tarefa que lhes confiara.

Ninguém, que jamais haja dado mostras de acuidade transcendental de tal monta, qual Jesus, em relação aos seres humanos e aos acontecimentos da História.

★

Quase dois mil anos após a Sua presença entre os seres humanos no planeta terrestre, Ele continua catalisando as atenções, sensibilizando os sentimentos, convocando vidas para o banquete de amor que deverá tomar conta do porvir.

Quanto mais transcorrem os séculos, mais fascinante se faz a figura de Jesus.

Por uns combatido, por outros reverenciado, por incontáveis pessoas perseguido e detestado, Ele atrai as atenções da atualidade para a Sua vida, que permanece única, mantendo-se como *guia e modelo* para todos, mesmo sem competir nos aranzéis da mídia atormentada, pairando soberano e vitorioso sobre aqueles que O não amam e sentem-Lhe a falta, sem que o queiram reconhecer.

Aproxima-te de Jesus, esse ser incomparável, e plenifica-te com Ele.

17
AÇÃO DO BEM

642. Para agradar a Deus e assegurar a sua posição futura, bastará que o homem não pratique o mal?

"Não; cumpre-lhe fazer o bem no limite de suas forças, porquanto responderá por todo mal *que haja resultado de não haver praticado o bem.*"

O ser humano é portador de uma destinação sublime: alcançar a plenitude que lhe está destinada desde o momento da sua criação.

Para consegui-la deverá empenhar todos os esforços, no que diz respeito à conquista do conhecimento e ao desenvolvimento dos valores morais que se lhe encontram em latência.

As vicissitudes que vivencia ao longo da experiência iluminativa fazem parte dos procedimentos de purificação da ganga exterior que carrega, de modo que o Espírito reflita toda a grandeza de que se faz possuidor. O mesmo fenômeno ocorre com as gemas e metais preciosos, que necessitam de instrumentos que lhes arranquem a beleza interna, esfacelando a forma externa grotesca encarregada de protegê-la, guardando-a para o momento esplendoroso.

À medida que adquire o discernimento dos objetivos existenciais, desapega-se das paixões que o jungem ao eito da escravidão dos vícios primitivos que lhe remanescem no comportamento, despertando-lhe o interesse superior para outros valores existenciais que o exornam de sabedoria e de felicidade.

Concomitantemente, desenvolve emoções que lhe devem constituir fundamentos para o amor, o grande guia no labirinto das atividades que deve exercer.

À semelhança do *fio de Ariadne*, que o pode retirar do recinto confuso e complexo por onde peregrina, o amor é-lhe sempre a luz guiando-o na obscuridade.

No início, confunde-o com os impulsos dos instintos que o desgovernam, sem saber exatamente como vivenciar o seu poder libertário, energia que tem origem na Fonte Geradora da vida.

Logo que passa a experimentar o seu vigor, alteram-se-lhe as áreas de manifestação, que se desenvolvem até o momento de predominar em todos os seus campos de vibração.

Eis por que o bem é-lhe manifestação inconfundível, ao mesmo tempo estímulo para a sua exteriorização e campo de expressão dos conteúdos que o constituem, tais a fraternidade, a ternura, a solidariedade, o perdão, a caridade...

Acionar os mecanismos que o tornam realidade no mundo da forma, deve sempre constituir motivação de vida para todos aqueles que o sentem medrar e expandir-se como hálito divino.

★

Não basta, portanto, deixar de fazer o mal. É necessário empreender esforços para fazer todo o bem possível imaginável, dentro das próprias forças, sem exageros. Porém, sendo necessário, deve-se fazer o bem mesmo com sacrifício, o que o torna mais significativo perante Deus.

Quando não se o pratica, sendo possível, medra o mal que arrasta corações e vidas no rumo do despenhadeiro, ceifando existências que poderiam ser conduzidas na direção da felicidade.

Se alguém se encontra necessitado de determinado socorro que outrem lhe pode dispensar, e esse não o faz, os danos que aí se originam tornam-se responsabilidade daquele que agiu de maneira indiferente ou se negou a contribuir para erradicá-los.

Misérias incontáveis poderiam ser extirpadas do planeta, se alguns indivíduos que dispõem do poder, seja social, econômico, político, religioso, artístico ou administrativo, se empenhassem por alterar-lhe a marcha devoradora. Preocupados, no entanto, em mais amealhar, acumulando fortunas de que jamais se utilizarão para qualquer fim nobre, ou dominados pela presunção e vaidade que os inflam de orgulho, são responsáveis pela desdita que decorre dessa atitude infeliz.

Não obstante, todos os indivíduos possuem o impulso para a ação fraternal e humanitária que dignifica. Mesmo quando destituído de meios grandiosos para atender as multidões, pode, entretanto, socorrer aquele que se lhe encontre mais próximo, contribuindo com pequenas dádivas de carinho e de compaixão, transformadas em pão e medicamento, em agasalho e orientação, em trabalho e em reconforto moral.

Não apenas por meio dos valores amoedados se pode e se deve praticar o bem, senão, também, utilizando dos sentimentos fraternais, que são bênçãos da vida em favor de outras vidas.

Uma côdea de pão alimenta quando se tem fome, e um pouco de água evita a morte por desidratação imediata, abrindo espaços para futuros socorros que impedirão o sofrimento ou a morte.

Não é imprescindível que o benefício que se faça tenha expressivo volume ou grande significado. Tudo é valioso quando está *dentro dos limites* daquele que ajuda, portanto, das suas forças.

Desse modo, ninguém se pode eximir da prática do bem nem do dever da solidariedade, que constituem maneiras eficazes para tornar o grupo social digno de melhor qualidade de vida.

Uma baga de luz rompe qualquer treva densa.

Uma moeda de amor torna-se início de uma realização operante.

Pessoa alguma, portanto, que se afirme destituída de recursos para o ministério da caridade, para a prática do bem.

Quem não possa apagar um incêndio, ofereça às chamas um pouco de água enquanto não chegarem as forças especializadas em combatê-las.

Na ardência do Sol uma pequena proteção evita que se esvaiam as energias debilitadas.

★

Agrada a Deus toda e qualquer ação meritória, porque faculta o inter-relacionamento útil entre as criaturas que, em estado de sociedade, se necessitam para progredir.

Não fazer o mal é meritório, porque a sua prática é degradante e cruel. No entanto, há que se atuar de forma fecunda no contexto social, gerando simpatia e cordialidade, evitando que se degenerem os sentimentos humanos por falta de calor e de amizade, de compreensão e de ajuda.

O progresso da Ciência e da Tecnologia que faculta o desenvolvimento da Humanidade e ameniza as agruras e desafios existenciais, está firmado nos propósitos dignificantes que estimulam os seus lutadores e missionários, a fim de que o Bem, um dia que não está longe, domine na Terra.

18
IMPORTÂNCIA DA EDUCAÇÃO

"(...) *Há um elemento, que se não costuma fazer pesar na balança e sem o qual a ciência econômica não passa de simples teoria. Esse elemento é a* educação, *não a educação intelectual, mas a educação moral. (...) A desordem e a imprevidência são duas chagas que só uma educação bem entendida pode curar.* (...)"

(Comentários de Allan Kardec à resposta da questão 685-a.)

A frágil criança que comove e desperta sentimentos nobres, convidando à carícia e ao enternecimento, é Espírito com formação ancestral rica de valores positivos e negativos a que a reencarnação faculta aprimoramento.

Atravessando os diferentes períodos do desenvolvimento mental e dos sentimentos que nela jazem, desvela, a pouco e pouco, as experiências anteriores que necessitam ser aprimoradas ou corrigidas conforme as tendências que apresenta.

Deixada a esmo, por não possuir o discernimento hábil em torno dos próprios conteúdos nem das possibilidades que se lhe encontram factíveis, segue a trilha dos hábitos perniciosos que lhe predominam em a natureza, tornando-se agressiva, aturdida, desconfiada e irresponsável. Os instintos, dos quais procedem as suas conquistas, ainda lhe sobrepujam na individualidade, prevalecendo as reações biológicas em vez das ações que resultam da razão e do equilíbrio.

Eis por que a educação exerce papel relevante na construção do caráter do cidadão, desde quando orientada a partir da infância, mediante a criação de hábitos formadores dos sentimentos e do caráter, que propiciam o saudável relacionamento social e o consequente crescimento moral-espiritual.

Naturalmente a educação acadêmica, convencional, abre portas para as atividades externas, propiciando os conhecimentos que equipam o ser para os enfrentamentos, para as conquistas da ciência e da tecnologia, para a adoção de doutrinas filosóficas e sociais, para o desenvolvimento das aptidões para a cultura, para a arte, para a crença religiosa... No entanto, é a educação moral que deve ser igualmente conferida, a fim de encarregar-se de desenvolver os sentimentos capazes de enfrentar e superar o egoísmo, a crueldade, a imprevidência, esses inimigos ferrenhos do progresso pessoal e coletivo da Humanidade.

A educação consegue modificar as estruturas negativas da personalidade, proporcionar campo para o crescimento dos impulsos morais edificantes, para guiar o pensamento no rumo dos deveres, oferecendo forças para que se expressem as aptidões nobres, que são herança divina jacente em todos os seres.

Pode-se perceber a importância da educação mesmo entre os animais irracionais; quando ao abandono, permanecem agressivos e destruidores, enquanto que, disciplinados e orientados, tornam-se mansos, úteis e amigos das demais criaturas, da sua ou de outra espécie.

A educação integral, aquela que se apresenta nas áreas moral e intelectual, é a grande modeladora que tem por missão incutir hábitos saudáveis, roteiro de segurança, equilíbrio de comportamento e interesse pelas conquistas éticas que exornam o processo de evolução da Humanidade.

Quem não possui hábitos bons, tem-nos maus. Ninguém, porém, vive sem hábitos.

Animal gregário, o ser humano difere dos demais graças à razão, ao discernimento e às tendências para a beleza e a sublimação.

★

Pitágoras, o grande sábio grego, reconhecia o papel preponderante da educação, quando exclamou: – *Eduquemos as crianças e não necessitaremos punir os homens.*

A história da educação apresenta toda uma saga de experiências que surgem no oriente com a memorização dos textos dos *livros sagrados*, passando aos deveres domésticos, que cabia aos pais transmitir à prole.

Creta foi o estado grego que logo percebeu a necessidade de cuidar dos jovens mediante a educação escolar, preparando-os para a cidadania, que significava desenvolver no aprendiz a consciência dos deveres para com a Pátria.

Atenas, por sua vez, orientava os seus jovens, após o dever exercido pelas mães e nutrizes, para o aprimoramento dos valores morais em favor da sociedade.

Roma deu prosseguimento à obra da educação conforme os padrões gregos, orientando crianças e jovens para a construção nobre dos grupos social e nacional.

Com Adriano, no entanto, o Estado romano assumiu a responsabilidade da educação orientada, quase sempre, para o conhecimento filosófico, estético, artístico, moral e de cidadania, em face do poder do Império espalhado pelo mundo, que necessitava de hábeis defensores.

A partir da Reforma, os Estados germânicos valorizaram sobremaneira a educação dos jovens, tornando obrigatória nas escolas públicas a alfabetização, a princípio na Saxônia, depois em Würtemberg, impondo o idioma nacional, em vez do tradicional latim. Mediante a legislação de Weimar, em 1619, o ensino se tornou obrigatório para todas as crianças e adolescentes entre os 6 e 12 anos em toda a Alemanha.

Surgiram, então, as reações da Contrarreforma, com os interesses religiosos em prevalência, a fim de preparar as mentes jovens para a manutenção dos seus postulados de fé, considerando os valores nobres da educação.

A seguir, alterou-se a paisagem da educação, graças a homens e a mulheres iluminados que apresentaram métodos mais eficazes para a formação da cultura e para o desenvolvimento moral dos educandos.

O educando, na infância, passou a merecer compreensão psicológica, sendo entendido como um ser em formação e jamais como *um adulto em miniatura*, criando-se os jardins de infância com Froebel, sendo ressuscitada a didática intuitiva sugerida por Comenius, agora baseada no conhecimento científico, passando a educação a ocupar papel preponderante nos Estados dignos e formadores de homens e de mulheres de bem.

★

Jesus, o Educador por excelência, permanece como o maior didata da Humanidade, por haver demonstrado ser a educação o mais seguro processo de desenvolvimento dos valores adormecidos na criatura.

Recusando o honroso título de *bom*, que Lhe foi conferido por um jovem que desejava segui-lO, elucidou que somente Deus é bom, mas que Ele era mestre, sim, porque toda a Sua trajetória constituía-se uma permanente lição de sabedoria, de amor e de saúde integral.

Jamais se exasperando, mesmo quando desafiado pela pertinácia e pusilanimidade dos Seus adversários, demonstrou que a ciência e a arte da educação são todo um processo de iluminação paciente e enriquecedor, que tem por meta essencial libertar o educando da ignorância por meio do conhecimento da verdade.

Afável e nobre, lecionou pelo exemplo, aplicando a metodologia compatível com o nível de entendimento e de consciência daqueles que O acompanharam.

Somente, portanto, pela educação moral, como esclarece Allan Kardec, será possível edificar o indivíduo saudável, responsável, capaz de edificar uma sociedade feliz.

19
VIOLÊNCIA E PAZ

756. A sociedade dos homens de bem se verá algum dia expurgada dos seres malfazejos?

"A Humanidade progride. Esses homens, em quem o instinto do mal domina e que se acham deslocados entre pessoas de bem, desaparecerão gradualmente, como o mau grão se separa do bom, quando este é joeirado. Mas, desaparecerão para renascer sob outros invólucros (...)."

Entre os flagelos destruidores naturais que periodicamente assolam a sociedade, a violência se destaca em predominância, em face da sua ancestralidade no contexto antropossociopsicológico da criatura terrestre.

Os instintos remanescentes que lhe predominam em a natureza animal, constituem os fatores desencadeadores da agressividade e da crueldade, expressando-se em forma de violências de todo porte.

Conduta remota do ser primário que lutava pela posse e pela sobrevivência, em vez de superada, ainda se destaca na conduta terrestre em razão da ignorância e do mal que vicejam em toda parte.

O ser humano é violento por constituição fisiopsicológica.

Ante o medo de ser agredido, torna-se agressor; buscando preservar a posse, arma-se de hostilidade; ansioso pelo alimento, pelo sexo e pelo repouso, faz-se reacionário. Não confiando nos demais indivíduos, que teme sem saber por que, busca apoio na força física e no ressentimento, a fim de preservar o que acredita pertencer-lhe ou se utiliza da agressão para tomar aquilo a que julga ter direito.

A violência quase sempre derrapa na crueldade, na insensibilidade em relação ao outro, à vítima que lhe tomba nas armadilhas covardes.

Não raro, o violento, após tomar o que deseja, descarrega a selvageria sobre aquele que lhe jaz impedido de reagir, maltratando-o, estuprando-o, violentando-lhe todos os valores da dignidade e da honra, quando não o mata de maneira hedionda, para dar vazão ao desequilíbrio que o vergasta.

Pior do que os flagelos naturais destruidores, calamitosos, embora necessários, a violência humana é barbárie cruel, que assusta e induz a atitudes igualmente perversas, como mecanismo de defesa ou de justificação para os crimes vergonhosos que lhe são consequência natural.

O homem violento é pior do que o animal selvagem, porque, enquanto este age por instinto, o ser humano se utiliza dos mecanismos da mente para tornar o seu ato mais ominoso e ensandecido.

Em razão dos conflitos emocionais que o aturdem, a sua é uma razão obscurecida pelo ódio, resultante, às vezes, de fatores psicossociais, socioeconômicos e sobretudo de ordem moral, bem típicos do estágio primário de evolução em que se encontra o Espírito.

Deslocado na sociedade, onde se encontra, tem-na como adversária. Invejoso da situação dos demais membros do grupo, que detesta, sem saber das razões que o dominam, considera-os inimigos em situação de iminente agressão, tomando-lhes a dianteira. E, em não poucas vezes, enlouquecido, diverte-se à custa daqueles que se atemorizam com o terror que lhes impõe.

A violência é um horrendo estágio do processo da evolução.

★

A pessoa violenta é vítima de si mesma, cultivando transtornos emocionais e orgânicos que a vergastam incessantemente.

No estágio atual do planeta, a ocorrência dessa calamidade é compreensível, tendo-se em vista a tarefa que a ele cabe na educação dos seus habitantes.

Lentamente a violência cederá lugar à paz, quando, cansado do sofrimento que causa, o portador desse desequilíbrio, acoimado pela necessidade de mudança, dará início ao desenvolvimento do potencial de amor que dorme no seu mundo íntimo.

Entendendo que a força brutal não resolverá os problemas que o atormentam, passará a recorrer à paciência e à resignação ante as circunstâncias aziagas que o afligem, mudando de comportamento mental e, portanto, de atitude perante o seu próximo, a si mesmo e a vida.

Estando o planeta recebendo multidões de Espíritos primitivos que se encontravam retidos em regiões inferiores da erraticidade, de modo que não prejudicassem o fenômeno do progresso, da cultura, da ciência e da tecnologia, agora têm a sua grande chance, ao mesmo tempo convocando à ação de benemerência para com eles, os mais adiantados que lhes experimentam a agudeza da perturbação.

Sem dar-se conta, estão trabalhando pelo progresso do próximo, pois que, dessa forma, ele se sentirá convidado a servir e a amar aqueles que se tornam difíceis de ser afeiçoados, em face da agressividade de que são portadores.

Como é incessante a misericórdia de Deus, ao abandonarem o corpo e retornarem à vida espiritual, experimentarão o corretivo que a si mesmos se impõem pelos atos, renascendo para novos cometimentos sob injunções diferentes, nas quais a fraternidade os convocará à reparação e ao crescimento moral.

A paz, iniludivelmente, se apossará do planeta terrestre, e os seus habitantes fruirão de felicidade.

As transitórias aflições que atingem as vidas que se esfacelam na agitação da perversidade, cederão lugar à compreensão e ao bem que se instalarão por definitivo no orbe terrestre.

★

Esse estado interior de violência pessoal, que se expressa no somatório de mil outras, transformando-se em guerras horrendas e perversas, deve ceder lugar à pacificação que cada qual desenvolverá mediante o trabalho de construção do bem em si mesmo e da solidariedade em torno dos passos.

A violência das ruas, que alcança as nações, tem início no desconcerto moral do indivíduo que, tocado pelas blandícias do amor, se modificará, embora a contributo do sofrimento, para que reine a harmonia em toda parte.

Se cada um, em particular, cuidar de transformar-se para melhor, envidando esforços para que a sua seja a contribuição do grão de trigo na gleba generosa, a violência baterá em retirada, tornando-se figura de museu que as futuras gerações contemplarão, a fim de entenderem como era o estágio passado de evolução em que se demoraram os seres superintelectualizados e pobremente moralizados.

20
SILÊNCIO INTERIOR

772. Que pensar do voto de silêncio prescrito por algumas seitas, desde a mais remota antiguidade?

"(...) o silêncio é útil, pois no silêncio pões em prática o recolhimento; teu espírito se torna mais livre e pode entrar em comunicação conosco. (...)"

No turbilhão da vida moderna, desgastante e aflitiva, o ser humano se descoroçoa muitas vezes na conquista do objetivo que persegue, em face do cansaço e do extenuamento de forças.

A correria pela busca dos recursos próprios para uma existência mais tranquila exaure-o, impossibilitando-o de fruir os benefícios que decorrem da própria luta.

Noutras circunstâncias, a irritação decorrente da pressão que sofre nas diversas conjunturas existenciais, os limites do tempo e as distâncias a vencer diariamente na busca do trabalho e do cumprimento dos deveres, tornam-se um grave transtorno para a autorrealização.

De todo lado surgem problemas, e o vozerio aturde-o, dificultando-lhe a escolha correta em torno do que deve e pode realizar, em face das injunções conflitivas que o levam a agir de acordo com os impositivos estúrdios que o agitam e angustiam.

Necessitando da vida social, procura imitar os modelos em destaque, normalmente inquietos e devoradores, ansiosos pela busca das coisas com total desprezo por si mesmos, fascinados pelo egotismo em detrimento dos sentimentos solidários que os tornariam felizes e harmônicos.

Nessa busca, deixa-se devorar pelas imposições vigentes, e quando se sente asfixiado ou frustrado nos planos ambiciosos que acalenta, normalmente foge para os alcoólicos e demais prazeres da moda desconcertante a que se deixa arrastar.

Inevitavelmente, os ideais que acalenta são substituídos pela volúpia do imediatismo, não havendo tempo nem lugar para as reflexões necessárias aos investimentos valiosos que dignificam o Espírito, enquanto predominam as exigências que somente enlanguescem o corpo.

Nesse conflito, perde o contato com o mundo interior; embora embriagado pelas paixões, sente a necessidade de recuperação dos tesouros que realmente felicitam e enobrecem.

★

O silêncio natural, que alguém se impõe, contribui para auxiliá-lo na conquista da autoconsciência, na identificação dos objetivos reais e essenciais à existência, na descoberta dos problemas que afligem e das lutas que deve travar, de forma que o equipa de recursos hábeis para os enfrentamentos inevitáveis durante a trajetória evolutiva.

Enquanto o tumulto atordoa e retira a mente do equilíbrio, o silêncio periódico condu-la à reflexão, facilitando-lhe a sintonia com as Fontes de onde procedem as bênçãos mantenedoras da realização humana.

No silêncio espontâneo, bem-direcionado, acalmam-se as ansiedades, desaparecem as angústias, *ouvem-se as vozes inarticuladas da Divindade.*

Graças a essa quietação interior, torna-se possível participar do mundo transpessoal, captando as ondas mentais que dele procedem, enviadas pelos Espíritos nobres que se encarregam de conduzir a criatura nos rumos da alegria e da plenificação pessoal.

Esse silêncio deve ser conquistado a pouco e pouco, mediante exercícios de quietação do pensamento, de confiança irrestrita em Deus e de busca profunda pelo âmago do ser.

Não se torna necessário *fugir do mundo*, a fim de alcançá-lo. Pelo contrário, faz-se mais fácil vivenciá-lo em plena agitação do cotidiano, sem que isso se torne uma evasão da chamada realidade objetiva, funcionando como medida terapêutica de harmonia interna e de valorização das horas.

Sem buscar o isolamento, o indivíduo deve habituar-se a controlar as ideias, optando por aquelas que proporcionam bem-estar e júbilo, substituindo as pessimistas e vulgares por outras de natureza edificante, assim criando condições internas para o equilíbrio emocional e a saúde orgânica, que se espraiarão por todos os departamentos que o constituem.

O silêncio é uma necessidade imprescindível para a manutenção da saúde e da paz, equivalendo a um alimento que se absorve para a manutenção orgânica.

Por meio da sua prática são eliminadas algumas toxinas que envenenam os sistemas nervoso central e o endócrino, propiciando melhor fluidez da energia que os vitaliza.

Aprendendo a silenciar, o ser humano consegue bem ouvir, discernir com mais acerto e compreender melhor as conjunturas que o envolvem, assim como aquelas que cercam as demais pessoas.

Graças à sua presença, tranquiliza-se e dispõe de serenidade para agir, evitando-se agitação e agressividade, que são filhas prediletas do tumulto.

O silêncio é veículo precioso para conduzir o Espírito às esplêndidas regiões espirituais, onde haure forças e inspiração para a luta diária.

Praticá-lo, mediante a interiorização, em qualquer lugar onde se esteja, faculta desfrutá-lo, embora se encontre participando dos acontecimentos que sucedem à sua volta.

★

Sempre que atendia as multidões esfaimadas de amor, de justiça, de compreensão, de pão e de paz, o Mestre Nazareno retirava-se da balbúrdia produzida pela massa, a fim de encontrar-se com o Pai. Isto não equivale dizer que em qualquer momento ficasse sem o Seu pensamento ou a Sua assistência.

Tratava-se de uma forma especial de melhor reconforta-se com a Sua Presença, ampliando a capacidade de amor e de caridade para com os infortunados caminhantes da vilegiatura humana.

No silêncio, orava a Deus, e, do silêncio, enriquecido de majestade e triunfo, volvia às multidões agitadas que O buscavam com os seus problemas e distúrbios, que logo se acalmavam e se modificavam nas estruturas profundas que os geravam.

Quando sintas que o desequilíbrio te sitia a *casa mental* e estás a um passo da queda, recolhe-te ao silêncio e reabastece-te de paz.

Perceberás que o vigor e a coragem serão restabelecidos e a harmonia tomará conta dos teus pensamentos, palavras e ações.

21
DESAJUSTES NA FAMÍLIA

775. Qual seria, para a sociedade, o resultado do relaxamento dos laços de família?

"Uma recrudescência do egoísmo."

A família é instituição social e humana comprometida com a realidade do Espírito, por constituir-se elemento primacial na construção do grupo que a compõe.

Organizada para o ministério de intercâmbio dos valores afetivos, é educandário e oficina onde se desenvolvem os valores éticos e espirituais do ser humano com vistas ao futuro eterno dos membros que a constituem.

Iniciada mediante a união dos sentimentos que vinculam os cônjuges um ao outro, abre-se enriquecedora para a prole, que passa a representar um investimento-luz de relevante significado em prol da felicidade dos pais e dos seus descendentes.

A sua preservação é de vital importância para o desenvolvimento moral da sociedade, que nela se apoia e a transforma em alicerce para a preservação das suas conquistas com o crescimento de outros valores.

Mesmo entre os animais selvagens, o grupo familiar é de significativa importância, cabendo aos pais, por instinto, o sustento da prole e sua preservação até quando essa se encontra em condições de sobreviver utilizando os próprios recursos.

Na família, caldeiam-se os elementos constitutivos do Espírito em processo de crescimento moral, ampliando-lhe a capacidade de evolução, ao tempo que lhe retifica equívocos e lhe aprimora sentimentos.

Todos aqueles que formam o clã estão, de alguma forma, vinculados entre si pelos fortes laços de experiências transatas. Acontece, às vezes, iniciarem-se experiências novas com vistas ao programa da fraternidade universal. No entanto, conforme o comportamento durante a vivência, estabelecem-se futuros programas de intercâmbio iluminativo e de capacitação para os desafios do processo de sublimação.

Por isso, nem sempre os membros que conformam a família são harmônicos, apresentando desalinhos de conduta, agressividade, animosidade, insegurança, rebeldia, ódio acirrado... Nesses casos, identificamos adversários que se enfrentam mediante nova e abençoada oportunidade, nos tecidos biológicos do mesmo grupo, a fim de retificarem os erros, aprenderem compreensão e tolerância, reformularem conceitos sobre a vida.

Igualmente, quando o afeto esplende em todos os membros e a legítima amizade os irmana, acompanhamos o desdobramento de bases afetivas anteriormente estabelecidas, ampliando o campo de realizações para o futuro.

A sociedade é resultado do grupo familiar que se lhe torna célula essencial para a formação do conjunto, produzindo o coletivo conforme as estruturas individuais.

Por isso mesmo, quando a família se desestrutura, a sociedade soçobra.

Sem homens de boa formação moral e de caráter diamantino não é possível a existência de cidadãos equilibrados e dignos.

É, portanto, no lar, que se corrigem as arestas morais do pretérito, despertam-se sentimentos elevados que se encontram adormecidos, criam-se hábitos saudáveis e dignificantes. Sem um lar bem-estruturado o conjunto social dissolve-se, formando grupelhos de atormentados e prepotentes ou desleixados e destituídos de ideais que fomentam o desar da Humanidade.

A imaturidade psicológica de homens e mulheres que procriam sem responsabilidade é fator causal que prepondera no desequilíbrio que assusta a sociedade dos dias atuais.

Mais preocupados em fruir prazer do que assumir responsabilidades, os indivíduos, não equipados de compreensão dos deveres, transitam pelos conúbios sexuais sem identificar-lhes a relevante significação de mero reprodutor da espécie com altas responsabilidades para os seus promotores.

Unem-se, uns aos outros, mais atraídos pela ilusão da carne sedutora do que pelos sentimentos que sustentam a afetividade e trabalham pela alegria de participar de uma existência saudável ao lado de outrem.

Quando os filhos nascem, ultrapassados os momentos de encanto e de promessas emocionais, consideram-nos impedimento para mais prazeres e gozos, ou têm-nos na conta de pesados ônus financeiro, enquanto que, por outro lado, se permitem o esbanjamento nos jogos da alucinação em que se comprazem.

Noutras vezes, a simples constatação da gravidez desencadeia reações asselvajadas que os levam ao aborto criminoso, em tentativa infeliz de fugir à responsabilidade e ao compromisso espontaneamente estabelecido.

Como educandário, no entanto, o lar representa um verdadeiro núcleo de formação da personalidade mediante os hábitos que se implantam no comportamento daqueles que aí se encontram. Pais agressivos ou negligentes, vulgares ou indisciplinados, emocionalmente inseguros ou rebeldes, tornam-se modelos nos quais os filhos formulam conceitos equivocados sobre a sociedade. Nesse clima de irresponsabilidade e conflitos, desenvolvem-se nos educandos os sentimentos de animosidade e suspeita contra todos os demais indivíduos, que passam a refletir as imagens domésticas, ameaçadoras ou punitivas, atormentadas ou insensíveis, de que foram vítimas.

Quando, porém, os hábitos salutares são vivenciados pelos genitores, criam-se raízes de respeito e admiração entre todos, transferindo-se esses comportamentos para a sociedade na qual deverão viver.

Na sua feição de oficina, as ações são mais valiosas do que os discursos de efeito aparente, quando são propostos conselhos e orientações em momentos emocionais inoportunos, porque somente por meio do trabalho bem-direcionado em relação ao caráter e aos sentimentos é que se fundem os significados psicológicos e morais de profundidade.

O mais eficiente método, portanto, de educação, é aquele que se associa ao exemplo, que demonstra a sua eficácia e significação na conduta do preceptor.

Os pais, em consequência, não se poderão evadir da responsabilidade para com a prole, sendo os esteios de sustentação da família ou a areia movediça sobre a qual erguem os frágeis ideais de convivência.

★

O ser humano é animal biopsicossocial que não se pode desenvolver de maneira eficiente sem a convivência com outrem da sua e de outras espécies.

Os relacionamentos emocionais e espirituais constituem-lhe fonte de inspiração e de equilíbrio para uma existência feliz.

A família é-lhe o primeiro contato com o mundo, que passará a significar o que aprende entre os seus, exteriorizando o resultado da convivência. A sua desagregação leva o indivíduo a uma *recrudescência do egoísmo.*

Célula fecunda de desenvolvimento dos valores eternos, os desajustes, por acaso existentes no lar, resultado de sementeiras de sombras no passado, devem ser superados pelas lições poderosas do amor e da solidariedade, construindo laços de verdadeira união que estruturarão os grupos sociais de maneira equilibrada para a convivência ditosa entre todos os irmãos em humanidade.

22
JUSTIÇA E HUMANITARISMO

873. O sentimento da justiça está em a natureza, ou é resultado de ideias adquiridas?

"Está de tal modo em a natureza, que vos revoltais à simples ideia de uma injustiça. É fora de dúvida que o progresso moral desenvolve esse sentimento, mas não o dá. Deus o pôs no coração do homem. (...)"

Ínsita em a criatura humana, a Lei de justiça procede da Lei de amor, que vige em todo o Universo, porque estabelecida por Deus.

É uma Lei natural, que se consubstancia no dever de respeitar o direito do próximo, conforme gostaria que o seu próprio fosse igualmente considerado.

Para poder viver em sociedade, os homens elaboraram códigos de leis que devem orientar o comportamento individual e coletivo, tornando-se um roteiro seguro para o bem proceder. Não obstante, as paixões pessoais e as de grupos encarregaram-se de estabelecer direitos para os mais fortes em detrimento dos mais fracos, ou mecanismos punitivos para aqueles que tombam no crime, ao invés de haverem criado instrumentos educativos com caráter preventivo para todos.

Em face das diferenças econômicas e sociais, que infelizmente classificam os homens e os separam cruelmente, a aplicação da justiça, não poucas vezes, é temerária, ferindo aqueles que são indefesos e apoiando aqueloutros que se tornaram verdugos impiedosos.

Com Jesus aprendemos que a Lei de justiça deve possuir um caráter essencialmente humanitarista, tendo-se em vista que mesmo o delinquente é um ser carente de misericórdia, vitimado pela ignorância ou por transtornos psicológicos profundos. Podemos ainda adir que, invariavelmente, em face do seu passado de erros, mantém vinculações perturbadoras com os comensais da loucura transata, que o levam aos terríveis cometimentos infelizes.

Em todas as épocas, os códigos de justiça se vêm apresentando como medicamento vigoroso para as enfermidades do crime. E, infelizmente, têm sido utilizados quase que exclusivamente para castigar e não para reparar o delito, dando oportunidade ao infrator de recuperar-se perante a sociedade que foi agredida, e de alguma forma diminuindo os danos causados à vítima que lhe padeceu a injunção penosa.

O que deveriam ser educandários bem-equipados, que recebem os delinquentes, se têm apresentado como cárceres sombrios, ontem em subterrâneos sem a menor condição de vida, sem ar nem luz, nos quais eram sepultados. Ainda hoje, apresentam-se como verdadeiros infernos, nos quais imperam a hediondez, a promiscuidade, o desrespeito pelos mínimos valores humanos são totalmente esquecidos, ampliando os ressentimentos e aumentando a capacidade de ódio dos enfermos morais ali atirados, sem mínima que seja a possibilidade para seu soerguimento moral e desejo de recuperação.

Transformados em violentas escolas de agressão aos direitos humanos, mais desenvolvem a ferocidade e o despudor, levando aqueles que ali sucumbem a comportamentos selvagens, longe de qualquer esperança de renovação íntima.

Punidos sem piedade, em atitude de vingança da sociedade, estorcegam e se comburem em revoltas que se avolumam e deságuam em conflitos sanguinários de uns contra outros encarcerados, ou protegidos alguns por outros infelizes guardiães que os deveriam dignificar, prosseguem orientando a criminalidade exterior e impondo dominação arbitrária interna, que os tornam suseranos dos presídios horrendos.

A justiça tem o dever de contribuir para a dignidade do ser humano, oferecendo-lhe os recursos próprios que o promovam e orientem.

Evidentemente, o melhor corretivo para quem erra é conceder-lhe a oportunidade de reparação.

Ao criminoso, o afastamento da sociedade impõe-se como medida reeducativa e salvadora para ele próprio e para o meio onde se movimenta. Isso porque, no educandário onde deverá ficar retido, terá oportunidade de repensar o seu delito, arrepender-se, compreender a dimensão do erro e esforçar-se para repará-lo oportunamente.

Ao mesmo tempo, afastando-o do grupo, contribui-se para que, enfermo da alma e do comportamento, não se torne pior, cometendo novas e sucessivas arbitrariedades que o tornariam mais desventurado.

Desse modo, ao lado de uma atitude educativa, é-lhe concedida a bênção do recomeço.

Graças ao humanitarismo, o criminoso é digno de ser reerguido e ajudado no seu processo de renovação interior.

Dessa forma, são identificados os fatores predisponentes e preponderantes para o crime, não poucas vezes de origem na própria sociedade, na família, nas injunções espirituais.

Não cabe à justiça punir de forma impiedosa, porque a torna igualmente criminosa, utilizando-se arbitrariamente dos seus mecanismos de poder para delinquir legalmente.

O eminente Francis Bacon, *no período das luzes*, lançando os ideais de libertação humana da ditadura do pensamento vigente, propôs que saber é poder, contribuindo para que a educação ensejasse ao ser humano o valioso tesouro do conhecimento, que era vedado aos menos aquinhoados economicamente.

A partir de então, a justiça passou a ser orientada no sentido de uma reconstrução de princípios, arrancando das suas mãos os que lhe tombavam nos códigos da servidão apaixonada e inclemente.

A verdadeira justiça reconhece que o ser humano é o maior investimento da Vida, da Divindade, merecendo viver em liberdade e com dignidade. Quando, por qualquer motivo, enleia-se nas malhas do crime, não deve perder o direito de ser considerado cidadão, por encontrar-se enfermo espiritual e moralmente, em face da agressão às leis, facultando-lhe os meios de recuperar-se e restituir à sociedade os prejuízos que haja causado.

Entretanto, não tem sido assim que se vem comportando a justiça. Permanece viva a *Lei de Lynch*, dando curso a comportamentos cruéis, que são assumidos com muita facilidade, desbordando em excessos de violência contra o criminoso, sem conseguir minimizar sequer os males causados pelo crime.

Enquanto vicejem na justiça as condutas de violência e de punição, as malhas do crime se fazem mais fortes e os meios de fuga se tornarão mais sofisticados, sendo defendidos por meio de artifícios legais aqueles que dispõem de recursos econômicos expressivos para continuarem em liberdade, longe de serem alcançados.

Desse modo, multiplicam-se os crimes hediondos, que não ensanguentam visivelmente as mãos daqueles que os praticam, quais o suborno, o desvio de recursos que dariam para salvar milhares de vidas e são transferidos para quem os manipula, bem como todas as formas de corrupção, ora denunciadas fartamente no mundo.

Cruéis e execráveis, não são alcançados esses terríveis delitos pela justiça humana, elaborada, muitas vezes, para atender interesses escusos. No entanto, não passarão despercebidos das leis soberanas da vida, portanto da Justiça divina, que é humanitarista e misericordiosa, ao mesmo tempo austera e dignificadora.

Na história da Humanidade encontramos os graves episódios da justiça parcial, a serviço dos interesses inconfessáveis, como ocorreu no julgamento e condenação de Sócrates, no arbitrário processo e holocausto de Jesus, entre muitos outros, ou na degradante *justiça pelas próprias mãos*, em que os violentos e perversos trucidaram muitas vidas, entre as quais, mais recentemente, Gandhi e Martin Luther King Jr.

O progresso moral do indivíduo e da sociedade lentamente, porém, desenvolverá o senso de justiça real entre as criaturas e as autoridades, governos e povos, tornando-o humanitarista, verdadeiramente cristão, conforme Jesus conceituou com incomparável propriedade: *Não fazer a outrem o que não gostaria que outrem lhe fizesse.*

23
SEMPRE COMPAIXÃO

886. Qual o verdadeiro sentido da palavra caridade, *como a entendia Jesus?*

"Benevolência para com todos, indulgência para as imperfeições dos outros, perdão das ofensas."

A compaixão é um sentimento nobre que vem escasseando entre as criaturas humanas.

Quando a emotividade as domina, são tomadas pelo sentimento de piedade, e, não raro, aturdem-se, tombando em sofrimentos desnecessários.

Quando espicaçadas por qualquer desconforto ou agressão, disparam mecanismos autodestrutivos e a ira ou a revolta arma-as de cólera, levando-as a transtornos que, não poucas vezes, fazem-nas derrapar na crueldade, no desalinho total da emoção.

A onda de violência que se abate sobre a Terra, ao invés de despertar compaixão pelos maus e perversos, que são enfermos da alma, ateia labaredas que crepitam em incêndios perigosos, lavrando em toda parte.

A compaixão é a serena atitude de misericórdia que dulcifica o azedume e suaviza a rebeldia, alterando o comportamento para a paz, ao invés de o estimular para a guerra sem quartel.

Envolvido pelo materialismo e a alucinação que os envenenam, os seres humanos não param para reflexionar, nem para refazer as atitudes, deixando-se arrastar pela força ciclópica do desespero e da incredulidade, que termina por consumi-los.

As emoções desgovernadas pelo estridor das paixões asselvajadas induzem a lutas perversas e insanas, não concedendo trégua para a recomposição interior, nem para a recuperação da confiança em Deus, na vida e no seu próximo.

Qual um bafio pestífero que se espalha na atmosfera, a revolta estruge e é alimentada pelo estardalhaço da mídia que exalta o crime, a desordem e a perversidade, armando-os, uns contra os outros, de forma que aguardam somente a oportunidade para explodir em reações imprevisíveis e de resultados danosos.

★

Há muita crueldade, sim, na Terra destes dias, qual aconteceu no passado.

A cultura, a ética e a civilização encontram-se ameaçadas.

As incomparáveis conquistas da Ciência aliada à Tecnologia, não obstante os seus máximos contributos para a felicidade humana, não conseguiram impedir a loucura hedonista da atualidade, nem as arremetidas da crueldade e da insânia, que estarrecem mesmo os temperamentos mais frios.

Crimes hediondos ocorrem em série interminável e o homem estertora no medo, na revolta, no ódio, ou foge para a promiscuidade, as licenças morais doentias, os conúbios da indiferença pelos valores de enobrecimento que parecem haver perdido o significado.

...E o barril de pólvora do ódio encontra-se prestes a produzir a terrível destruição...

A alternativa única para modificar essa rude situação é a compaixão que deve dominar os sentimentos em relação a esses infelizes e cruéis indivíduos que roubam a paz e ameaçam a estabilidade emocional e espiritual do planeta.

Qualquer outro tipo de reação torna a paisagem humana mais juncada de vítimas, porque o ódio se espraia com facilidade, especialmente quando campeia o desconserto espiritual.

Esse tumulto de volumoso e triste aspecto, que aumenta a cada dia, ameaçando todas as estruturas da vida na Terra, terá que ser vencido pelo silêncio da paz, pela ternura da coragem e pela compaixão fraternal, que constituem o patamar de reflexão para acalmar o desespero e aquietar a sofreguidão.

A compaixão consegue irradiar-se, retirando o combustível que abastece o incêndio e neutralizando as chamas do desespero com o ardor da esperança.

Desse modo, porque essas criaturas infelizes se fazem difíceis de ser amadas, provocadoras e empedernidas no mal, irônicas e vulgares, não se apercebem da gravidade dos transtornos que as dominam, antes se acreditam lúcidas e saudáveis embora os estertores em que se rebolcam.

★

A compaixão para com todos é o sentimento de humanidade que os sensibilizará, acalmando-lhes a fúria, abrindo-lhes portas de acesso à reflexão, despertando-os para a felicidade.

Utilizando-te da compaixão exercerás a caridade, conforme Jesus a entendia...

Compadece-te, portanto, dos teus perseguidores, daqueles que te infligem aflições, que te caluniam e que te agridem.

A compaixão para com eles é a tua dádiva de amor, que ainda não podem entender, por falta de percepção, mas que os vencerá na disparada alucinante em que se esfalfam.

Desse modo, apiada-te da Humanidade sofredora e envolve-te na unção da prece por eles, os cruéis, e por todos aqueles que se supõem inalcançáveis na situação em que se encontram.

A tua compaixão para com esses irmãos enlouquecidos impedirá que te alucines e que revides mal por mal, assim permanecendo em paz na luta de autoiluminação.

24
SÓRDIDOS PORÕES

"A caridade, segundo Jesus, não se restringe à esmola, abrange todas as relações em que nos achamos com os nossos semelhantes, sejam eles nossos inferiores, nossos iguais, ou nossos superiores. (...)"

(Comentários de Allan Kardec à resposta de nº 886.)

A civilização, dita cristã, no ocidente, ainda não compreendeu que Jesus é o exemplo da centralidade mais admirável que se conhece. Em todo o Seu ministério jamais houve lugar para a exclusão, para a exceção. Ele sempre se caracterizou pela proposta de solidariedade humana e pela igualdade dos direitos humanos.

A Sua proposta renovadora tem uma direção certa: a transformação moral da criatura para melhor, sempre e incessantemente. Nesse sentido, ninguém se pode considerar indene ao crescimento interior ou pelos demais excluído da oportunidade.

Jamais o Mestre preferiu aqueles que têm mais ou que pensam ser mais, preterindo aqueloutros detestados, marginalizados, esquecidos.

À semelhança dos profetas antigos, Ele veio resgatar os mais sofridos, os mais perseguidos, os mais desesperados. Não há lugar em Sua palavra para qualquer tipo de preconceito. Ele próprio pertenceu a um lugar de excluídos, conforme anotou João no comentário feito por Natanael, quando convidado por Filipe para conhecê-lO: – *Pode vir alguma coisa boa de Nazaré?* (João, 1:46)

Não poucas vezes, Ele sofreu o opróbrio, a humilhação, o acinte, a perseguição sistemática.

Conhecendo, portanto, a hediondez da perversidade e da injustiça humana, Ele coloca no centro aqueles que são empurrados para a periferia, para a marginalidade, fazendo com eles um pacto de amor. É esse amor que viceja em toda a mensagem neotestamentária, renovando as esperanças do mundo e apontando um rumo de segurança onde predomine a vera fraternidade.

Os indivíduos que se apresentam como mais poderosos, mais possuidores, também não foram rejeitados, porquanto Ele sabia que esses igualmente são infelizes, refugiando-se no terror, na opressão, na vingança, na exploração do seu próximo, por cujos artifícios se sentem seguros nos tronos de mentira em que se assentam.

Os opressores, os perseguidores, são pessoas que perderam a direção de si mesmas, tornando os corações empedrados, por não se permitirem a doçura que tanto desejam e de que sentem irresistível falta. Invejam-na, em quem a tem, e por isso, mediante a projeção do seu conflito, perseguem-no implacavelmente, com violência, como se a houvessem roubado do seu sacrário íntimo.

Jesus respeitou todas as vidas, concedendo o direito de cidadania igualitária a todos quantos adotassem o *Reino de Deus* e se empenhassem pelo conseguir.

Os modernos cristãos, conforme ocorreu com muitos outros no passado, não compreenderam esse ensinamento, que registraram no cérebro, mas não insculpiram nos sentimentos. São capazes de abordar o tema da solidariedade com lágrimas, no entanto, não saem do pedestal em que se encastelam para proporcionar centralidade ao seu próximo, arrancando-o da periferia marginalizadora.

★

Não obstante as gloriosas conquistas culturais, científicas e tecnológicas, o ser humano ainda mantém o seu próximo em muitos *porões de exclusão*, que são habitados pelos que se fizeram ou foram tornados marginais: crianças que se prostituem por imposição da crueldade moral, geradora da miséria socioeconômica, pela escravidão do indivíduo que não tem escolha e perdeu a liberdade de decisão e de movimento, e os que vivem nas ruas do mundo, desconsiderados e sem quaisquer direitos, perfeitamente descartáveis pela sociedade hedonista.

Suas dores, suas necessidades, são propositalmente ignoradas, e não raro, tidos como *lixo social*, são assassinados, exilados, expulsos dos seus guetos, porque enxovalham a sociedade que os excluiu.

Trata-se de hediondez da modernidade, que somente pensa no crescimento horizontal do seu poder e da sua libertinagem, esquecendo-se do ser humano em si mesmo, que é o grande investimento da vida.

Nesse *lixo social* encontram-se também muitas joias perdidas: homens e mulheres de bem e de valor, que derraparam nas ruelas da existência e não tiveram resistência para enfrentar e vencer as vicissitudes, enveredando pelo alcoolismo, pela toxicomania, pela perversão de conduta nos vícios sexuais, vivendo nos escuros porões que lhes servem de refúgio.

Perdida a dignidade humana, eles relutam para permanecer nesses sítios de vergonha e sombras, sendo denominados como criminosos, mesmo que crime algum hajam cometido.

Rotulados de *lixo*, *criminosos*, *excluídos*, *gentalha*, *vidas inúteis*, perdem a identidade e não se encorajam a recuperar a sua humanidade, aquela que lhes foi tirada e nunca devolvida.

Afirma-se que esses irmãos da agonia se recusam a sair dos porões onde se encontram, e que, ao serem retirados, fogem de retorno aos mesmos lugares nos quais se entregam aos disparates da vergonha moral. Talvez tenham razão com a exceção, jamais com a totalidade.

Ocorre, muitas vezes, que se encontram enfermos, sem autoconfiança, sem nenhuma autoestima, e autopunem-se, após haverem sido torturados, estuprados, pervertidos. A sua terapia de recuperação é lenta, quanto o foi a imposição da degradação, da perda de sentido existencial.

É impressionante observar como poucos cristãos dão-se conta do que está ocorrendo à sua volta e poderá atingir o seu castelo de refúgio e de ilusão. Mesmo quando vêm à superfície as denúncias contra a dignidade do seu próximo e eles aparecem como fantasmas apavorantes, esses cristãos cerram os olhos para não os ver e tapam os ouvidos, a fim de não escutarem o clamor das suas vozes, porque isso os perturba e inquieta, tirando-lhes alguns momentos de sono ou de excesso de alimentos.

... E confessam a crença em Deus, a Quem dizem amar, em Jesus, que tomam por modelo teórico, mas não Lhe seguem os ensinamentos libertadores.

Perfumados e bem vestidos, evitam o contato com eles, nunca se permitem ir aos porões, temem-nos e abandonam-nos, quando deveriam visitá-los e amá-los, procurando conviver com eles, trazendo-os à luz do dia da compreensão de todos.

Eles ficam nos seus *porões*, e os cristãos nos seus esconderijos de luxo e de proteção, com medo deles, aqueles a quem Jesus procurou trazer para o centro, retirando-os do abismo escuro em que se refugiavam.

★

Felizmente, nem todos os cristãos se escondem do seu próximo retido nos *porões*. Eles denunciam a sua existência, tentam arrancá-los dos sórdidos lugares onde jazem, esquecidos e perseguidos, recordando-se de Jesus e imitando-O.

Raia uma luz na treva em favor dos excluídos, ainda muito débil, é certo, mas que se expandirá como o rosto brilhante da manhã após a noite renitente que vai devorada pela claridade.

O novo Cristianismo propõe que se acabem com os *porões*, que se recicle o *lixo social* mediante os mecanismos do amor, que se traga para o centro da comunidade todos aqueles que têm sido excluídos, de forma que a sociedade se torne verdadeiramente digna do Mestre e Senhor, que é *Modelo e Guia* para todos através dos evos...

25
VIRTUDES

893. Qual a mais meritória de todas as virtudes?

"Toda virtude tem seu mérito próprio, porque todas indicam progresso na senda do bem. Há virtude sempre que há resistência voluntária ao arrastamento dos maus pendores. A sublimidade da virtude, porém, está no sacrifício do interesse pessoal, pelo bem do próximo, sem pensamento oculto. A mais meritória é a que assenta na mais desinteressada caridade."

As virtudes existem em todos os seres humanos, mesmo quando em estado embrionário, porque procedem de Deus, Fonte Plenificadora do Universo.

Manifestando-se como tendência para o Bem – qual ocorre com o fototropismo que altera a direção do vegetal no seu rumo, a fim de o vitalizar e realizar a fotossíntese –, há uma atração inevitável para a sua realidade, que se encarrega de produzir a transformação do ser para melhor, mantendo-o em clima de harmonia.

O escultor examina a pedra bruta e *vê* a estátua que lhe estua interiormente, arrancando o excesso exterior e apresentando-a gloriosa.

O pintor *descobre* na tela em branco a figura exultante que lhe cumpre revestir com tintas e cores, exteriorizando-a para os olhos atônitos dos que são incapazes de enxergar a beleza oculta.

O músico *escuta* os sons do Universo e põe-nos no pentagrama, para que sejam reproduzidos por quaisquer instrumentos que desvelem a sua harmonia e sonoridade.

O poeta contempla a paisagem ou desvela o sentimento, cantando em palavras de significado profundo o que outros não conseguem perceber.

Quanto mais aprimoram a capacidade artística, mais se lhes ampliam as percepções e penetram nos conteúdos do que jaz oculto para outros indivíduos.

O santo arde em chama de unção e devotamento, tocado pela Presença de Deus, que capta em todas as coisas, todos os seres, pulsando em a Natureza.

O cientista sabe que, perseverando na busca daquilo que sonha e sente, encontrará a resposta para as interrogações que lhe povoam a mente e inquietam a existência.

O mártir antecipa a glória que lhe está reservada, por saber que no sacrifício está a maior felicidade existencial.

O homem de virtude identifica o benefício que dela resulta, quando a põe em ação, porque vive-a com intensidade no âmago dos sentimentos.

As virtudes são a presença do amor e da sabedoria de Deus pulsando nas *artérias da alma,* até exteriorizarem-se em forma de ações dignificantes e sacrificiais.

★

Sem a presença das virtudes, a vida estaria destituída de qualquer significado.

São elas que fomentam o progresso, quando imolam no trabalho aqueles que se dedicam à conquista do desconhecido, a fim de tornarem a vida dos seus conterrâneos e da sociedade futura mais amena e digna de ser fruída.

Constituem a força que vivifica os que se recusam a enfraquecer na luta, mesmo quando tudo conspira contra as suas aspirações engrandecedoras.

Graças ao poder de persuasão de que dispõem, nunca desistem de bem servir nem de amar, embora nem sempre encontrem compreensão ou boa vontade pelo caminho por onde jornadeiam. Não obstante, arrancam da pedra grosseira do primarismo aqueles que estão adormecidos ou incendiados pelas paixões dissolventes a que se entregam. Insistem no labor silencioso de amparar o revel e conduzi-lo à tranquilidade. Permanecem vigilantes, sem enfado ou cansaço, quando se dispõem a iluminar e libertar as consciências que estão em sombras ou escravizadas aos vícios.

Jamais reagem com violência, sempre agindo com bondade.

Desenvolvem-se com o valor do sentimento e crescem em horizontalidade na direção das criaturas e em verticalidade no rumo de Deus, com absoluta segurança do êxito nos resultados do empreendimento, sem a preocupação do tempo ou do esforço que lhes sejam necessários.

Quanto mais se doam, mais se fortalecem e mais se multiplicam, pela necessidade de uma apoiar-se noutra e, de forma especial, por se tornarem envolventes e convincentes de tal maneira que mudam a cada instante a face do planeta e o comportamento dos seres humanos.

As virtudes são como determinadas plantas que resistem à invernia, mantendo toda a seiva na raiz para depois explodir em tonalidades ricas de vida, ou que são atacadas pela ardência do verão, resguardando a seiva nas bases, que retorna exuberante, logo a bênção da chuva as vitaliza.

Podem parecer frágeis, porque são delicadas e sutis, jamais se utilizando de violência para alcançar os seus objetivos; no entanto, *movem montanhas* sem perturbação da ordem até conseguirem as metas a que se propõem.

Quem as experimenta jamais deixa de buscá-las e vivenciá-las, tal a força de paz de que se fazem portadoras.

Incessantemente povoam o ser humano, às vezes entorpecendo-se em ocasiões muito graves, para ressurgirem com vigor logo a oportunidade se lhes apresenta.

...E quando tudo parece conspirar contra a sua existência, ei-las iluminando os caminhos do mundo e cantando esperanças aos ouvidos da Humanidade.

★

No pretório, em Jerusalém, Pilatos era o símbolo da dubiedade moral e da sordidez social, crivado de paixões subalternas e aspirações ilusórias.

Barrabás era o exemplo do crime e da venalidade, ignorando a própria insânia e desconhecendo o que se lhe passava em volta.

A multidão enfurecida representava os vícios morais de todas as épocas, assinalada pelos interesses sórdidos do imediatismo.

Judas, que se evadira da massa, representava o despertar da consciência culpada.

Pedro, que ficara a distância, martirizava-se com os cardos do medo cravados no íntimo.

João, expectante e afável, solidarizava-se em lágrimas com a Vítima...

...E Jesus, o exemplo das virtudes por excelência, sublimando a caridade do amor e do perdão para com todos, aguardava pacientemente o momento extremo do sacrifício, para confirmar que somente na renúncia e no devotamento até a doação da própria existência terrena é que a felicidade total se faz possível.

26
PAIXÃO E AMOR

907. Será substancialmente mau o princípio originário das paixões, embora esteja na natureza?

"Não; a paixão está no excesso de que se acresceu a vontade, visto que o princípio que lhe dá origem foi posto no homem para o bem, tanto que as paixões podem levá-lo à realização de grandes coisas. O abuso que delas se faz é que causa o mal."

O desenvolvimento da afetividade decorre do amadurecimento psicológico do ser que cresce, a esforço moral, ampliando a capacidade de entendimento emocional e cultural. Nem sempre, porém, resulta da aquisição de cultura, mas sim da perfeita harmonia entre sentir e saber, de modo que se possam evitar os distúrbios que, não raro, surgem durante o processo de evolução.

A afetividade é de incomparável necessidade para a afirmação dos sentimentos e da consciência humana, em razão da constituição espiritual, emocional e psíquica de que todos são constituídos.

Quando irrompem as emoções em catadupas, ante o encontro com outra pessoa, produzindo impacto de alta expressão, que se transforma em desejo, esse não é um real sentimento de amor, mas sim de paixão. A paixão, invariavelmente, é um fenômeno de transferência psicológica, mediante o qual o indivíduo se deslumbra por si mesmo, refletido naquele que o atrai e lhe provoca encantamento. A sua porção feminina, quando se trata de um homem, ou masculina, quando seja mulher, expressas nos conteúdos psicológicos *anima* e *animus*, é projetada para o outro, que passa a habitar uma galeria mitológica, tornando-se um alguém irreal que necessita ser conquistado.

Todo o empenho é desenvolvido para consegui-lo, e os estímulos orgânicos se tornam poderosos, em face da atração magnética de ordem sexual que é experienciada, atuando de maneira a levar o apaixonado a triunfar sobre a sua *presa* que, adorada, sintetiza todas as ambições e necessidades do conquistador. É semelhante às ocorrências do mesmo gênero no panteão mitológico dos deuses. O ser humano, no entanto, não é deus algum, mas ser com sensibilidade e sentimentos comuns...

No começo, o relacionamento é intenso, a admiração é constante, porque a imagem projetada inspira todo esse encantamento e interesse.

À medida, porém, que a convivência demitiza o sobrenatural da afetividade desequilibrada, a realidade assume o inevitável papel de controle das emoções, e o despertamento traz o desencanto e a amargura que passam a conviver com os parceiros, quando não o desentendimento, a agressividade, a violência, o crime...

Normalmente, após o estabelecimento de qualquer fenômeno de paixão afetiva, surgem o acordar da consciência e o conflito de comportamento, que levam a sofrimentos que poderiam ser evitados, caso se houvesse agido com equidade e maturidade psicológica.

Esse tipo de arrebatamento que conduz ao imaginoso, à fantasia, ao mítico, atribuindo virtudes e belezas a outrem, quc as não possui, de um para outro momento, é como o fogo-fátuo, de efêmera duração, sendo efeito da combustão de gases que evolam dos cemitérios e pântanos, que brilham e logo desaparecem...

Nessa projeção de belezas com promessas de felicidade perene, em breve tempo sucumbem as aspirações cultivadas e logo surgem os conflitos perturbadores, que também são reflexos da personalidade atribulada e insatisfeita que busca prazeres sexuais e outros, distante das emoções enriquecedoras e de alto significado.

Esse tipo de busca – a do sexo sob impulsos de desordenadas aspirações do prazer – não satisfaz, deixando sempre um sentimento de culpa, quando não se dá também o de frustração, que envilece e amargura.

Raramente se transforma em motivo de aprimoramento moral, porque o indivíduo se escraviza e se entrega, perdendo a sua realidade, quando se prolonga por algum tempo mais esse tipo de chama abrasadora.

As consequências são sempre infelizes. A história da literatura oferece exemplos muito significativos que merecem reflexão.

★

O poeta Shakespeare encontrou a solução para deixar a imaginação humana continuar a paixão de Romeu e Julieta, mediante a tragédia que elaborou para consumi-los, desde que ela não suportaria o desgaste da convivência diária, os conflitos de conduta no relacionamento constante.

Marco Antônio, o vitorioso de Roma, e Cleópatra, a rainha do Egito, são também um exemplo trágico da paixão por projeção, que termina em caos.

Abelardo e Heloísa, Dante e Beatriz, igualmente experimentaram as consequências da irreflexão e sofreram a abrupta interrupção do encantamento, pagando o alto preço que se transformou em belas páginas escritas tanto por Dante quanto por Abelardo, que assim eternizaram os sentimentos de ambos, que não puderam consumar.

A relação é muito grande dos célebres enamorados, que a paixão devorou, pela falta de estrutura e da presença do amor real.

O amor é dúlcido, sem violência nem arroubos desesperados, que incendeiam e aniquilam. A sua mensagem é real, sem o imaginário do desequilíbrio nem do fantasioso, constituindo estímulo para quem ama sem sofrer desgaste, tanto quanto para o ser amado que não se submete.

Na paixão, sempre existem os componentes da dominação, do ciúme, da insegurança, do desespero, enquanto que, no amor, todo sentimento se enriquece de paz e de alegria, construindo o futuro a dois, sem perda da identidade nem da personalidade de qualquer um deles.

Enquanto a paixão é feita de impulsos imediatistas e extravagantes, o amor se expressa pela ternura e pela confiança, contribuindo para o crescimento moral do indivíduo que avança no rumo de mais altas aquisições.

Na raiz de muitas conquistas do gênero humano, encontra-se uma admirável história de amor, que não se desfaz em tragédia nem se despedaça no fragor dos desentendimentos afetivos.

O ser humano é convidado pela vida ao encontro da própria alma, à conquista do seu espaço interior, que não pode ser violado por ninguém, e o amor é o inspirador dessa viagem de segurança, que faculta o descobrimento da realidade e o equipa com instrumentos próprios para administrá-la de maneira eficiente a serviço do progresso moral e da plenitude.

Sob a inspiração do amor, a alma é conquistada, mas, por outra forma, a alma não pode prescindir dos estímulos do amor.

Eis por que se pode asseverar que o amor é de conteúdo divino, enquanto que a paixão é uma consequência dos tormentos humanos.

A paixão se nutre dos desejos que defluem do magnetismo sexual, enquanto que o amor é fruto do amadurecimento psicológico e do discernimento espiritual.

A paixão é rápida e deixa escombros, enquanto que o amor é duradouro e oferece sementeira de bênçãos.

O Evangelho de Jesus é o poema que canta o Seu Amor pela Humanidade de todas as épocas, retratando em páginas de incomparável beleza a Sua doação de vida e de entendimento em relação a todas as criaturas que Lhe constituíam o objetivo a que se entregou.

Oferecendo-se em holocausto humano, permaneceu fiel à Sua mensagem de libertação afetiva, sem frustração nem angústia, encerrando aquela fase do Seu messianato com insuperável declaração de entendimento da incoercível inferioridade dos Seus perseguidores: – *Perdoa-os, meu Pai, porque eles não sabem o que fazem.*

A grande paixão de Jesus é a criatura humana, mas as paixões humanas, normalmente, são caracterizadas pelos instintos e desejos desenfreados, exceto quando direcionadas para as construções do bem e do amor em qualquer lugar onde se apresentem.

27
VÍCIOS E PAIXÕES

"As paixões são alavancas que decuplicam as forças do homem e o auxiliam na execução dos desígnios da Providência. Mas, se, em vez de as dirigir, deixa que elas o dirijam, cai o homem nos excessos e a própria força que, manejada pelas suas mãos, poderia produzir o bem, contra ele se volta e o esmaga."

(Comentários de Allan Kardec à resposta da questão nº 908.)

As paixões que dominam as criaturas humanas são resultado das heranças instintivas primevas que as impulsionavam na conquista das necessidades, emulando ao avanço e à preservação da vida. Na impossibilidade momentânea, por falta do discernimento e da razão, para bem compreenderem os valores ético-morais, as paixões, algumas mesmo asselvajadas, atiravam-nas nas lutas renhidas, das quais resultavam a sobrevivência e os logros para uma melhor qualidade de vida, mesmo que de maneira inconsciente.

À medida que lhes foi surgindo o senso moral, deram-se conta da necessidade de administrar aquelas que se apresentavam de forma violenta, impondo a posse alucinada a tudo quanto passasse a interessar-lhes.

O surgimento do respeito aos direitos do próximo lentamente deu margem à educação das tendências perversas e insanas, que passaram a ser direcionadas com objetivos mais elevados. Isto porque perceberam que a vida necessita do grupo social, e que somente por meio de uma convivência ordeira é que o mesmo pode sobreviver aos fatores mesológicos e sociológicos, adquirindo forças para os enfrentamentos e a construção dos seus ideais.

O conhecimento dos mecanismos da vida e de tudo quanto a cerca, a sustenta ou a ameaça, passou a oferecer recursos para a segurança nos relacionamentos, sem a necessidade da imposição dos seus caprichos, surgindo o entendimento psicológico saudável, que abre as portas para a fraternidade e a convivência, nos quais o ser se eleva e se engrandece.

Impossibilitadas de serem destruídas, por fazerem parte da *natureza animal*, foram canalizadas para as edificações de engrandecimento e de cultura, de solidariedade e de paz, de beleza e de arte, de fé e de amor, decuplicando-lhes a potência, agora manipulada com sabedoria, resultando como verdadeiras bênçãos de que não pode prescindir a sociedade.

As paixões, em si mesmas, são neutras, porque procedem das heranças atávicas. O uso que se lhes dá é que responde pelas consequências felizes ou destrutivas de que se revestem.

Ninguém pode viver sem as paixões, que lhe constituem parte do ser que é, em trânsito para a realidade espiritual. Enquanto viceje a carne, ei-las impulsionando, numa como noutra direção, dignificante ou perturbadora, conforme a sua estrutura emocional.

A cada um, portanto, cabe o dever de as bem conduzir, assim adquirindo autocontrole e conseguindo as metas dignificantes a que se propõe.

★

Os vícios, por sua vez, são os devastadores efeitos das paixões, que se enraízam em forma de hábitos de qualidade inferior, responsáveis pelos desastres morais e emocionais que trucidam as criaturas imprevidentes que se lhes vinculam sem qualquer esforço para a sua libertação.

Apresentam-se disfarçados ou desvelados, de forma que se impregnam em a natureza humana, transformando-se em verdadeiros verdugos portadores de inclemência e perversidade.

De início, asfixiam nas suas malhas estreitas e apertadas aqueles que se lhes concedem predominância no comportamento.

Aturdem, enfermam, enfraquecem, desarticulam a vontade e terminam por infelicitar sem qualquer compaixão o seu próprio mantenedor.

Depois, espraiam-se, contaminando outros desavisados que se deixam enganar com as suas falsas promessas de alegria e de bem-estar, de euforia e de poder, que logo se convertem em decepção e fuga para novos tentames em escala ascendente e volumosa até a consumpção da sua vítima.

Concomitantemente, os viciados perturbam a ordem social, por desejarem impor-se ou para manterem as suas necessidades mórbidas, tornando-se sicários de outras vidas ou sendo por si mesmos vitimados.

Com essa imperfeição moral, que resulta da falta de esforço para libertar-se dos estágios primários pelos quais transitou, o Espírito que se deixa vencer pelos vícios permanece em atraso no curso da evolução, tornando-se elemento pernicioso para a sociedade, que passa a vê-lo como inimigo do progresso, credor de penas que se lhe devem impor, a fim de serem evitados danos aos demais membros, tanto quanto a si mesmo.

Os vícios são cruéis mecanismos emocionais a que o ser se adapta, permitindo-se-lhes a vigência e soberania nas paisagens das emoções.

Infelizmente, na sociedade contemporânea, muito esclarecida em torno das conquistas tecnológicas e científicas, as paixões perniciosas e os vícios destrutivos recebem muita consideração, quando os indivíduos são açodados para conseguirem os seus propósitos, às vezes ignóbeis, ou para saírem-se bem nas reuniões de negócios ou de recreios, apelando para os alcoólicos, o tabaco, o sexo e outras drogas aditivas.

Longe está o homem de ser social, somente porque se permite o uso e o abuso dos vícios em voga em cada época, ou das paixões animalizantes que o fazem sobressair, conquistando o enganoso brilho da mídia também alucinada em algumas áreas da atual comunicação de massa...

O ser humano marcha para a saúde plena, e as paixões que nele remanescem devem ser encaminhadas para os ideais de crescimento interior e de realização externa, ampliando os horizontes de felicidade do planeta.

Da mesma forma, os vícios deverão ser transformados em hábitos saudáveis ou em peregrinas belezas que deles emergem, lucilando como estrelas no zimbório da noite escura.

★

Cada época da sociedade sempre se tem caracterizado pelos seus vícios e virtudes, desgraças ou grandezas que foram vivenciados.

Inegável que antes da queda de todas as civilizações do passado, que começou no apogeu da sua glória e do seu poder, quando os valores morais cederam lugar aos vícios e os ideais de engrandecimento foram substituídos pelas paixões devoradoras, fizeram-se vítimas da insânia os seus governantes e o povo em geral.

As paixões, dessa forma, podem ser alavancas direcionadas para o desenvolvimento cultural, emocional, social e espiritual da Humanidade, assim como os vícios mórbidos e devastadores deverão ser convertidos em sentimentos de autocompaixão, de amor e de caridade para com todas as demais criaturas.

Agindo-se assim, a transição do planeta para melhor será feita com mais facilidade, porque os seus habitantes terão optado por conduta mais condizente com a harmonia que vige no Cosmo e a plenitude que lhe está destinada.

28
DESAFIOS DA LUTA

909. Poderia sempre o homem, pelos seus esforços, vencer as suas más inclinações?

"Sim, e, frequentemente, fazendo esforços muito insignificantes. O que lhe falta é a vontade. Ah! quão poucos dentre vós fazem esforços!"

A inevitável proposta da evolução moral e espiritual conduz o ser humano a enfrentar desafios incessantes, que o aprimoram, a pouco e pouco, sem cuja realização a conquista de valores dignificantes se faria muito mais difícil.

Quem se recusa ao convite do sacrifício pessoal transformador candidata-se à paralisia espiritual. E mesmo que deseje impedir-se à luta, que se negue a experimentar os sofrimentos que decorrem dos impositivos de crescimento interior, é compelido pelas sábias Leis da Vida a enfrentá-los e enfrentar-se, quando, mais tarde, sem o desejar, desperte nas expiações santificadoras.

Não raro, muitos indivíduos forrados de intenções superiores e desejando servir à Humanidade, porque se encontram tomados de sentimentos nobres, pensam em desistir ou recuar nos seus propósitos, em razão dos enfrentamentos perturbadores, das lutas que se tornam imperiosas e que lhes exigem sacrifícios e renúncias desde o momento em que se *candidatam* a realizá-los. Não obstante desagradáveis, são esses os mecanismos de aferição dos valores elevados para todos os seres.

Desejar-se uma existência cômoda, sem tropeços nem problemas, não passa de utopia, mesmo que a criatura seja possuidora de recursos econômicos sólidos e desfrute de excelente situação social.

A luta, na Terra, é resultante de fenômenos biológicos, emocionais, psíquicos, sociais e outros, desde que ninguém se encontra reencarnado desfrutando de perfeição, mas necessitando de aprender a crescer e a desenvolver os grandiosos milagres que lhe dormem latentes, aguardando as ocorrências propícias ao seu desenvolvimento.

O automatismo fisiológico dá-se sem qualquer esforço, entretanto, para que os sentimentos desabrochem e alcancem a finalidade para a qual se destinam, a contribuição consciente de cada pessoa se torna indispensável.

Evidentemente, logo que tomada a decisão, estabelece-se a batalha para a vitória dos ideais.

A vida é dádiva de Deus, que deve ser conquistada com esforço em todas as suas expressões e, para tanto, a luta se torna irrecusável. Como consequência, a dor se expressa e deve ser absorvida com naturalidade.

Consciente dessa condição, mais fáceis se tornam quaisquer enfrentamentos, ante a segurança dos resultados que propiciam ventura e paz.

Ninguém se deve dificultar a ascensão, por comodismo ou receio, quando convidado à conquista do infinito. Deter-se no pequeno espaço mental e físico em que se encontra, constitui atraso moral que deverá ser superado.

A execução de qualquer tarefa propicia desgaste de energia, aplicação de esforço, contribuição pessoal. Naquela que se refere à transformação do ser e da sociedade, é compreensível que se torne mais dispendiosa, porque trata de alterar o já conseguido, modificando as estruturas vigentes e ampliando os horizontes para o enriquecimento geral.

Para impedi-lo, muitas forças se conjugam, como efeito dos interesses que se encontram em jogo.

A comodidade se refestela na inutilidade e na exploração do trabalho das pessoas diligentes, sempre disposta a combater qualquer alteração na ordem dominante.

O autoritarismo explora a simplicidade e a ignorância daqueles que lhe sofrem o jugo, colocando-se contra qualquer movimento que lhe ameace a estabilidade.

A perversidade instalada nos sentimentos primários confia na própria força e arma-se para impedir o avanço da fraternidade e dos ideais libertadores.

A frustração e o vazio existencial reúnem-se para investir contra as propostas de enriquecimento interior.

O orgulho e o egoísmo dão-se as mãos e disputam a primazia que se creditam, não admitindo a perda da pequenez moral em que se comprazem.

A inveja e o despautério abrem abismos pelo caminho, dificultando o avanço dos que contribuem para a harmonia e o bem-estar geral.

A intriga insensata faz-se calúnia atroz e conspira com virulência, dificultando o entendimento dos propósitos enriquecedores.

O medo e a inveja preferem a situação infeliz em que se alastram, negando-se a ocasião de segurança emocional.

São as características negativas que resultam dos instintos primários, em predomínio em a natureza humana, que se comprazem na situação que lhes diz respeito, negando-se à conquista dos valores éticos e espirituais.

Todo o esforço que possa alguém direcionar em favor do crescimento íntimo deve ser utilizado com urgência, não receando dificuldades, dores, porquanto essas, por mais se deseje evitar, sempre alcançam o espírito humano.

A atração da plenitude é fenômeno natural do processo da evolução. Contribuir para torná-lo mais fácil e atraente constitui impositivo da inteligência e da razão, que não se satisfazem com a permanência nesse estágio inferior.

Todo crescimento propõe novas adaptações e essas se fazem mediante emoções novas, nem sempre agradáveis, até que sejam instalados os mecanismos psicológicos de harmonização.

★

Nunca receies sofrer, se anelas pela felicidade de qualquer espécie.

Rompendo a casca grotesca, a plântula alça-se no rumo das alturas.

Despedaçando-se sob os golpes do buril, o bloco de pedra se transforma em beleza.

Diluindo-se nas altas temperaturas, os metais se amoldam a novas formas e utilidades.

As conquistas morais igualmente são forjadas nos fornos das transformações interiores sob a ardência das provas e dos sofrimentos delas decorrentes.

Alegra-te quando incompreendido, por estares na defesa dos ideais de enobrecimento e nas realizações que contribuem para o progresso da sociedade.

Não aguardes compreensão antes do tempo, nem apoio por parte daqueles que permanecem em faixa emocional diferente da tua.

És candidato decidido a conseguir o triunfo dos teus projetos. Eles te pertencem, e não aos demais, portanto não dês demasiado valor às conspirações das pessoas que te antagonizam. Elas desconhecem os teus propósitos e apenas veem o que possuem interiormente, projetando os seus conflitos nos teus planos audaciosos.

Quem se detém a contemplar dificuldades, não sai do lugar. Mas, se confiante, avança, superando cada desafio quando se apresenta, cedo ou mais tarde alcançará com luta e alegria a meta pela qual anela.

29
Autoconscientização

919. Qual o meio prático mais eficaz que tem o homem de se melhorar nesta vida e de resistir à atração do mal?

"Um sábio da antiguidade vo-lo disse: *Conhece-te a ti mesmo*."

Os dias atuais, caracterizados pelos conflitos psicológicos, em face do tumulto que domina o pensamento da sociedade e as ambições de cada indivíduo, exigem profundas reflexões, a fim de que a harmonia permaneça nos sentimentos humanos e na conduta pessoal em relação a si mesmo, assim como ao seu próximo.

As admiráveis conquistas da Psicologia profunda, contribuindo para a solução dos muitos distúrbios que se apresentam perturbadores, convidam à meditação em torno da realidade que se é, para que sejam superados os condicionamentos em que se encontra, de forma a situar-se com equilíbrio ante os desafios e as injunções, não raro penosos, que se apresentam em toda parte exigindo decisões inadiáveis.

Atordoando-se ante o volume das atividades que defronta, o indivíduo percebe-se desequipado de valores que lhe facultem uma boa administração das injunções em que se encontra, não sabendo o rumo que deve seguir.

Convidado, porém, à autorreflexão, à autoconscientização, mediante as quais descobrirá a sua realidade essencial, recusa-se por automatismo, receando penetrar-se em profundidade, em razão do atavismo castrador a que se submete.

A *sombra* que o condiciona ao aceito e determinado, ameaça-o de sofrimento, caso busque iluminar o seu *lado escuro*, permitindo-lhe a autoidentificação que se encarregará de libertá-lo das aflições e conflitos de comportamento, que são heranças ancestrais nele prevalecentes.

Vitimado pelo jogo das paixões sensoriais, não anula a própria alma que discerne, e procura não se deixar vencer pelos desejos infrenes que o arrastam ao jogo ilusório do prazer desmedido.

Apresentando-se incapaz, no entanto, de lutar pela libertação interior, permite-se arrastar mais facilmente pelo tumulto dos convites da sensualidade, naufragando nas aspirações de enobrecimento e de cultura, de beleza e de espiritualidade, temendo perder a oportunidade que a todos é oferecida de desfrutar as facilidades e permissões morais que constituem a ordem do dia.

A estrutura psicológica do ser humano é trabalhada por mecanismos muito delicados, sofrendo os golpes violentos da ignorância, do prazer brutalizado, dos vícios inveterados. Não suportando a alta carga de tensões que esses impositivos lhe exigem, libera conflitos e temores primitivos que estão adormecidos, desequilibrando as emoções, cujos equipamentos sutis geram distonias e depressões.

O desvario do sexo, que se tornou objeto de mercado, transformando homens e mulheres em *coisas* de fácil aquisição, é também instrumento de projeção social, de conquista econômica, de exaltação do *ego*, despertando nas mentes imaturas psicologicamente, ânsias malcontidas de desejos absurdos, nele centralizando todas as aspirações, por considerá-lo indispensável ao triunfo no círculo em que se movimenta.

Incompleto, por não saber integrar os seus conteúdos psicológicos da *anima* à sua masculinidade e do *animus* à sua feminilidade, conseguindo a realização da *obra-prima* que lhe deve constituir meta, o ser humano deixa-se arrastar pelas imposições de um em detrimento do outro, afligindo-se sem saber por qual motivo.

Procura, então, agônico e insatisfeito, a recuperação na variedade dos prazeres, identificando-se mais confuso, a um passo de transtorno sempre mais grave, qual ocorre a todo instante no organismo social e nos relacionamentos interpessoais.

A *sombra* governa-o, e ele recusa-se à luz da libertação.

O apóstolo Paulo afirmou: *Não faço o bem que quero, mas o mal que não quero, esse eu faço.* (Romanos, 7:19)

Nesse autorreconhecimento, o nobre servidor do Evangelho de Jesus denunciava a existência do seu lado escuro, impulsionando-o a atitudes que reprovava e não conseguia impedir-se de praticar. Mediante, porém, esforço perseverante e autoconscientização da própria fragilidade psicológica, o arauto da Era Nova conseguiu atingir a culminância do seu apostolado, quando proclamou: ... *E vivo, não mais eu, mas Cristo vive em mim...* (Gálatas, 2:20)

Somente por meio da coragem para encontrar a consciência, mediante uma análise tranquila das possibilidades de que dispõe, é que a criatura humana logrará liberar-se da situação conflitiva que a domina, facultando-se selecionar os valores reais daqueles ilusórios aos quais atribui significados, mas que sempre deixam frustração e *vazio existencial.*

A experiência física tem objetivos bem-delineados que se apresentam acima da vacuidade dos interesses imediatistas que dominam na moderna sociedade consumista. Esse seu consumismo exterior resulta dos obscuros conflitos internos que projetam para fora e para outrem sua imagem de inquietação, transferindo-a do eu profundo como necessidade de agitação para fugir de si mesmo.

Sucede que, nessa ansiosa projeção, o ser se torna consumido pelos demais, e, por sua vez, destituído dos sentimentos profundos de amor, procura consumir os outros, utilizando dos seus recursos e qualidades reais ou imaginárias para saciar a sede de prazer em que se aturde, e seguir adiante.

Não saciado, porque essas experiências somente mais afligem, surge a necessidade das extravagâncias, pelas libações alcoólicas, pelo uso de substâncias químicas alucinantes, pelas aberrações sexuais intituladas de variedades para o prazer, pela agressividade, pela violência, ou pela queda nos abismos da depressão, da loucura, do suicídio...

A única alternativa disponível, portanto, para o ser humano de hoje, qual ocorreu com o de ontem, é o mergulho interior, a autodescoberta, a conscientização da sua realidade de Espírito imortal em viagem transitória pelo corpo, a fim de adquirir novas realizações, reparando males anteriores e conseguindo harmonia íntima, para que possa desfrutar de todas as concessões que se lhe encontram à disposição, premiando-o pelo esforço de autoconquista e autolibertação.

Naturalmente que, ao ser ativado o mecanismo de identificação do ser real, o hábito da fuga dos compromissos superiores induz à projeção, para poupar-se à dor, o que constitui um grande erro, porquanto o sofrimento se tornará ainda mais penoso.

É óbvio que somente a claridade vence as sombras, e a autoconscientização é o foco de luz direcionado à escuridão que predomina no comportamento psicológico do ser humano.

★

Jesus asseverou com propriedade ser a *luz do mundo*, porque a Humanidade se encontrava em profunda escuridão, qual ocorre nos dias presentes.

A Sua é a mensagem de responsabilidade pessoal perante a vida, e de serviço constante em favor de si mesmo e da coletividade.

Trazendo aos homens e mulheres o Seu exemplo de Amor e de abnegação, não se propôs *carregar o fardo do mundo*, a fim de liberá-los de suas responsabilidades, mas ensinou a todos como conduzirem os seus problemas e angústias, solucionando-os com o amor a Deus, a si mesmos e ao próximo, por ser esse comportamento o que conduz à perene luz de libertação de toda a sombra existente no mundo íntimo e na sociedade em geral.

Busca, pois, conhecer-te a ti mesmo, e vencerás a ignorância e a indigência espiritual.

30
AMOR E SAÚDE

920. Pode o homem gozar de completa felicidade na Terra?

"Não, por isso que a vida lhe foi dada como prova ou expiação. Dele, porém, depende a suavização de seus males e o ser tão feliz quanto possível na Terra."

As injunções penosas que são vivenciadas na sociedade contemporânea, violenta e quase insensível, conduzem a criatura à reserva e ao retraimento. Não são poucas as pessoas que se sentem temerosas de amar, contraídas e amarguradas, sem ânimo para novos relacionamentos fraternos ou afeições mais profundas.

Temem novas sortidas da decepção resultante da traição de que foram vítimas, ou da ingratidão com que os seus gestos de bondade e ternura foram retribuídos.

Receiam abrir-se à amizade e experimentar novamente desprezo ou censura.

Acreditam que somente vicejam nos corações o egoísmo e a crueldade, sentindo-se usadas e logo descartadas.

Infelizmente há uma proliferação muito grande do mal, não obstante o Bem jamais haja estado ausente da Terra.

Todo inverno, por mais rude, faz-se suceder por primavera rutilante e rica de beleza.

Da mesma maneira que se multiplicam a infâmia e o desar, florescem inumeráveis expressões de amor e de solidariedade, que sustentam a vida e a tornam digna de ser experienciada.

Somente porque algumas expressões de degenerescência moral se apresentam em destaque, não há como ignorar-se a grandiosa presença da abnegação e do sacrifício, da amizade pura e do culto do dever, confirmando as elevadas conquistas da Humanidade.

Amigos incomparáveis se revelam aguardando correspondentes em todos os segmentos da sociedade.

Por temor aos maus, perdem-se o convívio salutar e os estímulos dos bons companheiros.

★

Quando a claridade, mesmo que débil, se oculta, predomina vitoriosa a sombra. Mas a recíproca é também verdadeira, o que estimula a ampliar-se a débil chama com os combustíveis do amor, a fim de que se transforme em labareda crepitante e poderosa.

Na gramínea verdejante medram também os miosótis e as violetas.

Mesmo quando pisoteados pelos animais, renovam-se de contínuo, emoldurando com beleza a paisagem. E mesmo despedaçados pelas patas vigorosas, perfumam-nas sem queixa, retribuindo a agressão com o recender do seu aroma...

Intenta ser fiel aos teus sentimentos bons e não temas o mal.

Estás na Terra em processo de prova ou de expiação, a fim de alcançares a felicidade relativa que te está destinada.

Se abrires o coração ao amor, o amor te facultará harmonia e saúde.

Saindo do isolamento a que te entregas, encontrarás a fonte vitalizadora para retemperares o ânimo e fortaleceres os sentimentos de nobreza.

Quem se envolve com amizades legítimas e sai da paixão para a compaixão, conquista um tesouro de harmonia que esplende em bênçãos.

À medida que ames, mais experimentarás organicamente o fenômeno da vasodilatação, facilitando a irrigação da bomba cardíaca.

A alegria de amar renovará as tuas células sob o estímulo de substâncias fomentadoras do equilíbrio, que fortalecerão o sistema imunológico, evitando contaminações perniciosas.

A emoção do prazer de amar se dilatará por todo o organismo, e conhecerás a felicidade que independe de posses e de projeções sociais, em internas reações em cadeia, que te conduzirão para as vitórias sobre as vicissitudes e circunstâncias aziagas.

★

Se aquele a quem direcionas o afeto não o retribui, alegra-te com o fato de seres quem ama.

Consciente da excelência dos propósitos que vivencias, não pares, não te arrependas, não recues.

Segue sempre em frente, amando e ajudando a todos sem exceção. O Sol alimenta o campo e beija o pântano, e a chuva generosa reverdece o jardim e favorece o deserto com esperança.

O amor opera *milagres*, e o maior de todos é a felicidade que propicia àquele que o vitaliza.

Quem se inebria com o seu néctar, jamais experimenta solidão, angústia ou desespero, porque a sua fonte inexaurível de recursos propicia alegria e esperança, mesmo quando tudo parece conspirar contra a felicidade de ser pleno.

Todo o Universo é um poema de harmonia, mesmo no aparente caos que se apresenta em alguns momentos, exaltando o amor de Deus.

Sê saudável amando, e experimentarás a felicidade relativa que te está destinada na Terra, alterando o teu mapa existencial de provas e de expiações, tornando-te mais pleno e tranquilo no rumo da libertação total.

31
PERDÃOTERAPIA

921. Concebe-se que o homem será feliz na Terra, quando a Humanidade estiver transformada. Mas, enquanto isso se não verifica, poderá conseguir uma felicidade relativa?

"O homem é quase sempre o obreiro da sua própria infelicidade. Praticando a Lei de Deus, a muitos males se forrará e proporcionará a si mesmo felicidade tão grande quanto o comporte a sua existência grosseira."

As paixões grosseiras que predominam em a natureza humana decorrem das experiências transatas que ainda não foram superadas.

São responsáveis pelos arrastamentos ao mal, em razão do primarismo de que se revestem, não se permitindo ser contrariadas nos seus impulsos e sentimentos servis.

Estimuladas pelo egoísmo doentio, desbordam em agressividade e cinismo que agridem, inicialmente, o próprio indivíduo que as cultiva, para logo depois atingir o grupo social no qual ele se encontra.

Radicando-se nos instintos mais imperiosos, quais sejam a reprodução mediante os impulsos sexuais, a nutrição por meio do alimento, e o repouso, por cuja maneira refaz as forças gastas, somente a grande esforço cedem lugar aos sentimentos e à razão que os devem comandar, orientando-os para a preservação da existência, porém não agressivamente nem de forma angustiante.

É inevitável o desenvolvimento moral do ser humano.

Etapa a etapa, desenvolvem-se os gérmens do amor nele existente, que se irão assenhoreando dos departamentos do instinto em predomínio, para que o raciocínio e a emoção exerçam o seu papel no desenvolvimento dos tesouros morais adormecidos.

O ódio, o ressentimento, a amargura, a inveja, o ciúme constituem herança trágica desse período em que a posse impunha seus caprichos e a submissão desesperada transformava-se em desejo de vingança, culminando em rudes batalhas mentais que chegavam a vias de fato na realidade objetiva, ceifando as vidas que lhes caíam nas urdiduras perversas.

Enfermidades de etiologia difícil surgem em decorrência desse primarismo emocional e se espalham, dando lugar a ocorrências mórbidas no organismo, ao mesmo tempo instalando distúrbios no comportamento e na mente, que ceifam a esperança e a alegria de viver.

Apesar do grande desenvolvimento científico-tecnológico dos dias atuais, as enfermidades de origem emocional e comportamental estão exigindo cuidados muito sérios, a fim de que o indivíduo possa gozar de saúde e de bem-estar.

★

A infelicidade que se vive na Terra é sempre decorrência da conduta que cada qual se permite, gerando os fatores que produzem dor e aflição, quando se poderia desfrutar dos inimagináveis recursos com que Deus provê a vida, dando-lhe beleza e harmonia.

O ser humano, porém, dominado pelas paixões de que não se deseja libertar, senão a golpes de ásperos sofrimentos, cultiva ódios injustificáveis, ressentimentos amargos, anseios de revides perversos... Esses inimigos, que residem no âmago do ser, agem contra os equipamentos celulares, envenenando--os com as suas toxinas morbíficas e contínuas ondas mentais de desequilíbrio e acrimônia.

Disso resulta a queda das resistências no sistema imunológico, surgindo concomitantemente os distúrbios na pressão arterial, as arritmias, os problemas gastrointestinais, as variações de humor sempre para negativo, as perturbações nervosas, resultados, quase todos, de somatizações enfermiças e de sintonias com Espíritos levianos e perversos que pululam à volta dos seres humanos.

Mantendo esses propósitos infelizes, mais se lhes acentuam os transtornos orgânicos e emocionais, derrapando em auto-obsessões e em obsessões variadas pela viciação mental e intercâmbio espiritual negativo.

Uma única alternativa, porém, existe, para que se possa adquirir a paz, portanto, marchar na direção da felicidade que a Lei de Deus proporciona àqueles que se comportam conforme esses soberanos códigos. Este valioso instrumento é o perdão com sincero desejo de renovação e de felicidade do seu adversário, deixando-o seguir adiante, enquanto a si mesmo se propõe esquecimento do motivo do ressentimento e do rancor.

Quando alguém perdoa, elimina alta carga doentia de vibrações no organismo, passando a gerar outro tipo de energia que procede da mente e se transforma em estímulos para a aparelhagem de que se constitui.

O ódio é morbo cruel que degenera aquele que o produz, alcançando, não poucas vezes, aqueloutro contra quem é direcionada a carga deletéria.

Compreendendo-se que todos têm o direito de errar e pensar mal uns dos outros, o que certamente não deveriam, mas cuja ocorrência é frequente, qual sucede ao próprio indivíduo em relação ao seu próximo, esse raciocínio já diminui a carga da animosidade mantida contra o outro, o adversário real ou imaginário.

Desculpando-o sinceramente e procurando apagar os sentimentos contraditórios que permanecem na mente e na emoção, o perdão faz-se automático e o bem-estar preenche o imenso espaço antes ocupado pelas emoções contraditórias do ódio, da mágoa e da vingança...

O perdão funciona como bálsamo sobre a ferida que foi aberta pela agressão do outro e, ao mesmo tempo, como resposta ao ódio que foi desencadeado, suavizando a dor do golpe experimentado.

Quem perdoa, conquista-se e engrandece-se, proporcionando oportunidade de arrependimento e de recuperação ao ofensor.

★

Enquanto sejam preservados no íntimo os sequazes do ódio, mesmo que disfarçado, o organismo se ressentirá da presença tóxica dessas vibrações doentias que infelicitam.

O perdão, porém, libertando a vítima, abençoa o algoz, ensejando-lhe, também, desfrutar da felicidade relativa que está ao alcance de todo aquele que deseje seguir as Leis de Deus, crescendo espiritualmente.

Perdãoterapia é, portanto, neste momento, o mais admirável recurso para a saúde e a felicidade do ser, ao lado do amor, do qual é extensão.

32
OS SOFRIMENTOS

933. Assim como, quase sempre, é o homem o causador de seus sofrimentos materiais, também o será de seus sofrimentos morais?

"Mais ainda, porque os sofrimentos materiais algumas vezes independem da vontade; mas, o orgulho ferido, a ambição frustrada, a ansiedade da avareza, a inveja, o ciúme, todas as paixões, numa palavra, são torturas da alma. (...)"

As Leis de Deus são irrefragáveis. Encontram-se por todo o Universo, em funcionamento automático, perfeito. Criaram e mantêm a ordem em todas as coisas, respondendo pelo equilíbrio vigente.

Toda vez que são desrespeitadas, seja no concerto geral ou individual, no todo como em qualquer parte, por meio da agressividade ou da desconsideração pelos seus códigos, passam a funcionar em torno do agente do desequilíbrio até que ele seja corrigido, volvendo à harmonia.

Todas as criaturas que pensam, mesmo quando não possuem o conhecimento lógico dessa realidade, dão-se conta da grandiosidade existente no macro como no microcosmo, compreendendo a necessidade da sua preservação. Mesmo entre os animais irracionais o instinto de conservação da vida faculta-lhes manter o meio ambiente onde se encontram e de onde retiram os preciosos recursos necessários à existência.

Os fenômenos naturais de destruição que ocorrem com relativa frequência, muitas vezes considerados maléficos, encontram-se dentro da programática que faculta o renascimento de todas as formas vivas, que se tornam mais bem aprimoradas e com mais resistências para os futuros embates.

Essas ocorrências ensinam que tudo que sofre agressão aparentemente destruidora insere-se no organograma do progresso, sutilizando a forma e sublimando cada vez mais a essência de que se constitui.

Iniciado o processo de constantes transformações no grande choque das partículas primitivas que precederam ao Universo, conforme se depara na atualidade, a Lei da evolução prossegue comandando os mecanismos que lhe são desencadeadores, em ininterrupto suceder, sob o comando da sublime Lei de amor que vige soberana.

O sofrimento, desse modo, apresenta-se sob variantes diversas, desde aquelas que resultam do desgaste natural da sua organização para dar lugar a novas formulações, assim como as decorrentes da *Lei de Causa e Efeito*, estimulando a abnegação daqueles que se sacrificam por amor.

★

O sofrimento apresenta inúmeras dimensões, que decorrem da sensibilidade e da percepção emocional de cada ser.

A aglutinação de moléculas no reino mineral altera-se a cada instante, e os desgastes se sucedem sem que haja qualquer tipo de sofrimento por absoluta falta de sensação e de emoção nele existente.

No reino vegetal, o psiquismo primário apresenta-se mediante uma forma de sistema nervoso embrionário, que responde pela sensibilidade ante as doenças e as desorganizações moleculares, sem que haja forma alguma de sofrimento real e emocional.

No reino animal, no entanto, graças à sensibilidade em despertamento, surgem os pródromos do sofrimento entre os irracionais, alcançando o seu momento máximo no ser humano, em razão da sensação e da emotividade de que se constitui.

Por serem diferentes os indivíduos humanos, em razão do Espírito que em cada um habita, a sua elevação ou primarismo proporciona mais ampla capacidade de resistência à dor assim como à felicidade, variando o grau de percepção de cada uma dessas ocorrências.

Desse modo, as suas paixões geram as consequências aflitivas que se expressam como sofrimentos, sempre decorrentes das suas atitudes materiais e morais, especialmente aquelas que defluem do orgulho, do egoísmo, das ambições desenfreadas, da inveja, do ciúme...

A predominância das heranças instintivas durante o trânsito da razão, leva-o a atitudes perturbadoras que dão lugar a enfermidades e a processos degenerativos que são responsáveis por muitos sofrimentos que poderiam ser evitados, caso o seu comportamento fosse de respeito e manutenção da ordem vigente.

As atitudes morais e a rebeldia sistemática agridem as Leis da ordem, que passam a movimentar-se em torno do seu autor, gerando distúrbios correspondentes.

As enfermidades, que são decorrência dos fenômenos inevitáveis das transformações celulares, tornam-se mecanismos utilizados pelas Leis da Vida, como reparadores para os gravames que são perpetrados, tornando-as verdadeiros flagelos quando se apresentam com características degenerativas e de longo curso.

Nesse capítulo, os transtornos psicológicos e psíquicos constituem sofrimentos que auxiliam na recuperação da harmonia interior, que foi perturbada pela agressão moral aos códigos estabelecidos.

Todo indivíduo, possuidor de razão e discernimento, sabe que as imperfeições que nele se demoram devem ser disciplinadas e canalizadas para a sua transformação em valores positivos e enobrecedores. Não obstante, há uma preferência muito grande pela sua preservação, evitando-se o esforço renovador mediante o qual se torna possível uma programação saudável e feliz para o futuro.

Desse modo, colhem-se em uma experiência posterior os efeitos danosos daquela na qual se delinquiu.

Esses argutos e impiedosos sentimentos de inferioridade, filhos diletos das paixões asselvajadas, conduzem as criaturas por período mais largo do que seria lícito, em razão da sua aceitação voluntária pelos seres humanos, que ainda os preferem, quando lhes seria fácil mudar de comportamento, mesmo que, de início, por meio da renúncia, da paciência, da abnegação.

★

Nem todos os sofrimentos, porém, têm caráter reparador ou punitivo.

Em alguns casos, apresentam-se como contribuição de amor daqueles que os experimentam, a fim de ensinarem ascensão e felicidade às criaturas da retaguarda, que lutam com débil vontade, necessitadas de estímulo e encorajamento para se decidirem pela ascensão que lhes falta.

Assim ocorre com os idealistas de todas as épocas, os mártires e os heróis, que compreendem a indispensabilidade do sacrifício de si mesmos em favor do progresso e de outras vidas, ou que já superaram os débitos transatos e volvem ao proscênio terrestre para convocar e conduzir os renitentes e enfermos na conquista da ciência do bem e da felicidade.

33
PRESENÇA DA MORTE

O homem carnal, mais preso à vida corpórea do que à vida espiritual, tem, na Terra, penas e gozos materiais. Sua felicidade consiste na satisfação fugaz de todos os seus desejos. Sua alma, constantemente preocupada e angustiada pelas vicissitudes da vida, se conserva numa ansiedade e numa tortura perpétuas. A morte o assusta, porque ele duvida do futuro e porque tem de deixar no mundo todas as suas afeições e esperanças.

(Comentários de Allan Kardec à resposta da questão nº 941.)

Mediante a cessação dos fenômenos biológicos, tem início o evento da morte orgânica. O natural processo de desgaste e de degenerescência, que é imposto à organização física, constitui mecanismo de transformação das moléculas que, em razão da lei de destruição, se desorganizam para produzir a renovação. Esse impositivo constitui elemento basilar do desenvolvimento e da ampliação da vida nos seus mais diversos mecanismos.

Dessa forma, todos os seres vivos marcham inexoravelmente para a morte que, de forma alguma, representa o fim ou aniquilamento.

A morte é, portanto, veículo de transformação renovadora que enseja às expressões orgânicas inúmeras modificações de estrutura no incessante intercâmbio entre os elementos de que se constituem.

Como o ser real se utiliza da matéria, de que prescinde, não sendo ela mesma, a morte liberta-o do cárcere físico no qual se movimenta durante o percurso da evolução.

Retido pelo instinto de conservação à aparelhagem orgânica, e por falta de adequada orientação espiritual, receia que, ao perder o invólucro em que se encontra, seja processado o seu aniquilamento, o que destruiria todo o sentido e significado da existência terrestre, especialmente para os indivíduos humanos.

O empenho na luta, os esforços para a conquista do conhecimento intelectual, dos valores ético-morais, do desenvolvimento tecnológico e artístico, dos sentimentos afetivos e enobrecidos não são destruídos quando se opera a disjunção molecular. Inerentes ao Espírito e não ao corpo, são indissociáveis daquele, continuando como patrimônio que faz parte da vida e jamais desaparecem.

O temor da morte decorre de impositivos atávicos que se desenvolveram nos mecanismos íntimos do ser, mediante a incerteza da sobrevivência do Espírito, não obstante as incessantes manifestações deles, afirmando a continuidade da vida aos despojos carnais.

Por outro lado, o exorbitar religioso no passado, decorrente do fanatismo e dos dogmas ultramontanos, portadores de ameaças punitivas e de concessões de felicidade eterna, gerou nos indivíduos o pavor do enfrentamento da consciência após a morte, ou simplesmente sepultou a crença no materialismo, em face do absurdo dessa imposição perversa.

★

Acreditando que tudo se resume ao breve período que medeia entre o berço e o túmulo, o ser humano, não raro, vê na morte o término dos prazeres, mas também dos sofrimentos, provocando receios nuns e anseios noutros, distanciados ambos da realidade de que se reveste a eliminação do corpo no mecanismo da evolução.

Diariamente é constatada a independência da mente ao cérebro, do pensamento aos neurônios, demonstrando-se que o ser biológico não é o ser real, mas um instrumento deste.

Desde há muito, os desdobramentos da personalidade ou *viagens astrais*, os fenômenos de bicorporeidade e transfiguração, de aparição de *mortos* anunciando o próprio falecimento ou provocando efeitos de natureza física, têm tentado despertar as mentes para a compreensão da imortalidade e das faculdades inerentes ao Espírito.

A partir do surgimento do Espiritismo, em razão da imensa fenomenologia catalogada e demonstrada por meio da mediunidade, as dúvidas que remanesciam a respeito da sobrevivência do ser ao desgaste fisiológico, cederam lugar à crença na sua indestrutibilidade e na sua comunicabilidade inteligente com aqueles que ficaram na retaguarda terrestre.

A morte, embora a feição patética de que foi revestida pela ignorância ou pela fertilidade da imaginação mítica, constitui libertação do ergástulo material, restituindo a liberdade do ser prisioneiro conforme sejam os seus valores íntimos.

Para aqueles que souberam utilizar os recursos preciosos da oportunidade, ala-os às regiões de paz e felicidade que os aguardam, enquanto que, para os outros, aqueles que se detiveram no exclusivo gozo dos seus impositivos orgânicos ou se escravizaram aos ditames das paixões, dá continuidade aos mesmos hábitos, agora ampliados pelo arrependimento e pela aflição, decorrentes do mau uso das faculdades que deveriam ser instrumentos para a conquista da felicidade.

Eis por que a morte não deve constituir motivo de pavor ou mesmo desejo de libertação, em face das leis que regem a vida e que estabelecem os hábeis mecanismos necessários ao desenvolvimento do Espírito mediante as sucessivas reencarnações.

Recolher os melhores proveitos de cada oportunidade, eis a finalidade existencial, de modo que, ao chegar o momento da libertação do vaso carnal, resultem a alegria e a autorrealização como decorrência das conquistas iluminativas.

★

Respeitar o corpo, proporcionando-lhe recursos de preservação dos equipamentos através da conduta moral saudável e do direcionamento mental enriquecido de bênçãos, torna-se meta a ser alcançada por todos aqueles que se dão conta da fragilidade orgânica e da perpetuidade do ser.

Inexoravelmente a morte ocorrerá, e vem sucedendo lentamente em cada instante de vida física, que culminará no momento em que se tornará total, abrindo, então, as portas da Espiritualidade para o Espírito que retorna à Vida em plenitude.

34
INDULGÊNCIA

"(...) *O terceiro efeito é o estimular no homem a indulgência para com os defeitos alheios.* (...)"

Conclusão. Item 7 (Comentários de Allan Kardec).

Destaca-se, no elenco dos valores morais que exornam o caráter do ser humano, a indulgência, esse sentimento elevado que se caracteriza pela compaixão pelo próximo e suas imperfeições espirituais.

A indulgência faculta a *remissão dos pecados,* proporcionando ao outro a reabilitação por meio de ações meritórias que o ajudam na reconquista de si mesmo, bem como na daqueles que hajam tombado nas redes intrincadas dos seus defeitos, na calúnia, ou no vitupério, na maledicência ou na crueldade em que ainda se comprazem.

Somente quando se adquire consciência dos objetivos essenciais da existência, discernindo-se o que realmente possui significado profundo, é que os sentimentos de compaixão e de indulgência assomam robustos, emulando o ser para o entendimento das próprias assim como das mazelas alheias.

É compreensível que existam indivíduos em níveis primevos de crescimento intelecto-moral, já que a sociedade é constituída por Espíritos que se encontram em variados graus de desenvolvimento, auxiliando-se reciprocamente, os mais bem aquinhoados em relação àqueles que se encontram em faixa anterior, ascendendo juntos, porém, na conquista do objetivo superior, que é a harmonia.

Quando escasseia a indulgência, que abre as portas para a lídima fraternidade, os atritos e lutas intérminas semeiam a crueldade e a malversação de valores, tornando o grupo social um campo de batalhas no qual o mais hábil e quiçá mais astuto ou perverso assume o comando e triunfa sobre aqueles que são tímidos e não se dispõem aos combates da insensatez e do ódio.

O progresso tecnológico tem propiciado uma visão mais ampla do Universo e das criaturas humanas, especialmente da fragilidade que a todos caracteriza, ensinando quão variável e transitória é a indumentária orgânica, assim convidando a reflexões mais acuradas em torno da essencialidade da vida e das conquistas dos tesouros da tranquilidade e do bem.

Não obstante recalcitrante, o homem, destituído de sentimentos de elevação, acredita-se imbatível e resistente a todos os enfrentamentos, sem dar-se conta de que, a cada momento, as forças são-lhe substituídas umas por outras, no incessante transformar-se da matéria, até quando as energias em escassez deixam-no fragilizado e decadente, enfermo e dependente, inspirando compaixão e misericórdia.

Ninguém, sem exceção, foge ao fragmentar da organização fisiológica e ao seu constante movimento de transformações inevitáveis.

Aquele que hoje se apresenta possuidor de força e de poder, de saúde e de alegria, de coragem e de vigor, logo mais se encontrará vitimado pela fraqueza, pela enfermidade, por inúmeros receios, na marcha inexorável em direção da morte.

★

A indulgência é a mensageira angelical que entoa hinos de ternura aos ouvidos do sofrimento de qualquer jaez.

Se alguém se arvora em acusador cruel e rebelde, assacando injúrias e recriminações soezes, é credor de indulgência. Ignora que se encontra tomado por distúrbios graves de comportamento, assim expressando o estágio de inferioridade pelo qual transita.

Se outrem esmaga o fraco, que se encontra sob sua dependência, de alguma forma, comprazendo-se em amesquinhá-lo e destruir-lhe a autoestima e a dignidade, merece maior dose de indulgência, porque o seu transtorno emocional está a ponto de enlouquecê-lo.

Se uma pessoa se compraz no sofrimento daquele que elegeu para adversário e o vigia com ferocidade, perseguindo-o sem trégua, merece a indulgência que funcionará no seu mundo íntimo como bálsamo que o lenifica ante a ardência da aflição em que se debate.

Se este é ingrato e soberbo, olvidando-se de todo o bem que tem recebido, somente porque, neste momento, se apresenta em aparente condição de bem-estar, a indulgência para com ele é o melhor recurso para que a sua enfermidade moral estanque no nascedouro.

Se este outro é rude e presunçoso, esquecido das próprias limitações ou perdido em si mesmo, somente a indulgência para com ele será capaz de demonstrar-lhe quão mal se encontra interiormente, bem como em relação aos outros dos quais não pode prescindir.

Se aquele é invejoso e persistente nas atitudes infelizes que sabe manter contra o seu próximo, a indulgência para com a sua imperfeição moral será o recurso desconhecido que impedirá a contaminação da sua morbidez.

Indulgência sempre para com os outros, porquanto todos necessitam de recebê-la no transcurso da caminhada terrestre.

A indulgência esparze oportunidade de reabilitação ao ofensor e agressivo, mas também pacifica aquele que a oferta, por facultar-lhe não se exasperar diante do mal dominante, permanecendo no bem irretocável.

Sem indulgência, a vida terrena perde o seu significado, e o ser humano torna-se joguete de paixões incoercíveis que desencadeiam consequências nefastas, mediante reações perturbadoras e insanas que assolam os relacionamentos sociais, como, de certa forma, vem acontecendo através dos tempos.

Graças à indulgência, o ser edifica-se e engrandece-se, entesourando paz e alegria de viver.

★

Indulgente para com as misérias humanas, Jesus veio ter com as criaturas para auxiliá-las na ascensão, suportando--as com amor e compreendo-as com misericórdia.

Sabia que a libertação da sombra da ignorância é paulatina, e que a ruptura das algemas dos instintos agressivos, que deveriam ser substituídos pelos sentimentos morais, é demorada e contínua.

Jamais se irritou ou desanimou, demonstrando cansaço ou perturbação.

Mesmo quando se tornava enérgico, semelhando-se a cirurgião que deve amputar um membro canceroso a fim de salvar o conjunto orgânico, evitou a rispidez, a agressividade e os instrumentos habituais entre os seus contemporâneos.

...E nunca necessitou da indulgência de ninguém, porque tomou a Sua cruz e plantou-a no monte da perversidade humana, sem queixa nem lamentação, ainda aí mantendo-se indulgente e compassivo, perdoando a trágica perversidade daqueles mesmos que haviam recebido Seu inefável Amor.